Сказки
нло

Георгий Балл

Приключения Старого Башмака, рассказанные им самим

НОВОЕ ЛИТЕРАТУРНОЕ ОБОЗРЕНИЕ
МОСКВА 2003

ББК 84.(2Рос=Рус)6
УДК 821.161.1-053.2
Б20

Художники *Анна и Михаил Разуваевы*

Балл Г.

Б20 **Приключения Старого Башмака, рассказанные им самим. Сказка.** — М.: Новое литературное обозрение, 2003. — 176 с., ил.

Новая книга Георгия Балла, автора более 20 книг — не просто сказка для детей. Она легко читается и взрослыми. События разворачиваются не в давние времена, «не в тридесятом государстве», а в наше быстро меняющееся странное, фантастическое время XXI века. В живую ткань повести вплетены и реальные события последних лет. Из книги читатели узнают о том, как Старый Башмак ищет своего Младшего Брата, которого украла таинственная Голубая леди, о том, как ему помогают дети разных стран и даже мальчик по имени Картошкофф, житель маленькой деревни из страны Атлантида, а также о многих других забавных и увлекательных событиях. Для детей старшего и среднего школьного возраста.

ББК 84.(2Рос=Рус)6
УДК 821.161.1-053.2

ISBN 5-86793-255-9

Из уст младенцев
и грудных детей
Ты устроил хвалу,
ради врагов Твоих,
дабы сделать безмолвным
врага и мстителя.

Псалом 8, 3

часть I

ГДЕ МОЙ БРАТ?

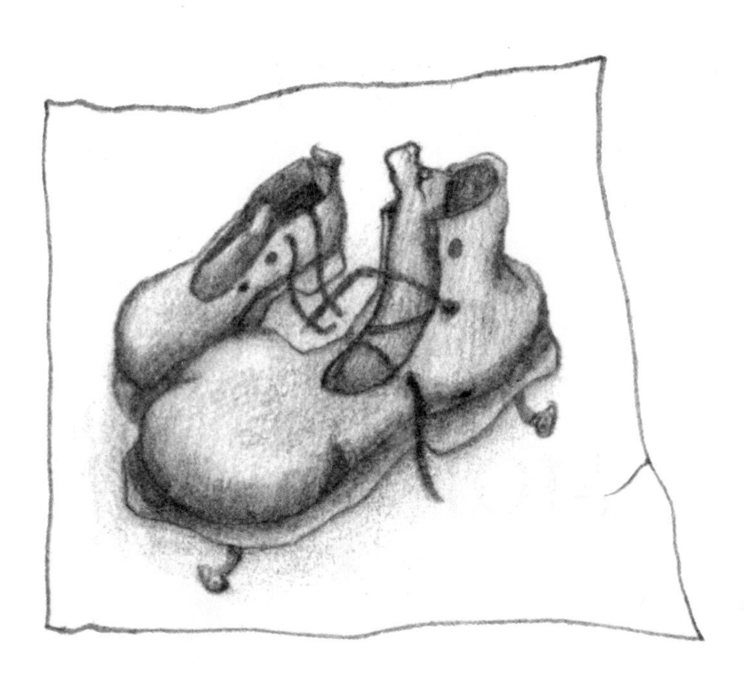

КТО ЕЩЕ НЕ СПИТ? А КТО СПИТ?

Ветер с легкостью выкручивал крик старого фонаря. Под ударами северо-восточного ветра крик становился то воровским свистом, то пронзительным воем, то освещал гору Фортине, то погружал ее во мрак.

На фонарь глядел Василь Василич, который одиноко жил на третьем этаже, в самой что ни на есть глубинке России, в панельном доме. Прежде улица называлась Краснобережная, а недавно ее назвали по-новому — Лос-Водопадос. На этой же улице недалеко была и районная поликлиника. Конечно, в такое ночное время поликлиника не работала. А у Василь Василича разболелся зуб. Щеку все сильнее распирало флюсом. Он не мог заснуть. И через реки и долины глядел на качающийся фонарь у горы Фортине. Чтоб не разбудить соседей по лестничной клетке, Василь Василич тихонько свистел и подвывал фонарю.

А совсем рядом, за маленьким деревянным заборчиком на куче мусора, среди ржавых кроватей, картонных коробок, а также:

Консервных банок
Разбитых телевизоров
Ржавых велосипедов
Мотороллеров без колес
Древних компьютеров
Рваных халатов
Щеток для мытья унитазов
Целлофановых пакетов
Молочных и пепсиколовых бутылок
И так далее и тому подобное,
Откинув шнурки, беспечно спал Старый Башмак.

Фонарь не спал. Василь Василич не спал. А Старому Башмаку приснился вещий сон.

УТРО ПРОКАШЛЯЛОСЬ ПЕРВЫМ ЛУЧОМ

Итак, Старому Башмаку приснился вещий сон. А может, это вовсе не сон? Может быть, когда-то, очень давно — сто или тысячу лет назад, а может, в этом веке, Старый Башмак жил в прекрасном дворце. Кровать во дворце была широченно-двуспальная. С двумя подушками. Над подушками с давних времен был раскинут козырек, покрытый нержавеющим железом. Если в самую глухую осень крыша во дворце протечет, ни единая капля не упадет на подушки с розовыми наволочками. Рядом с подушками всегда лежали два мобильника для переговоров двух братьев. А еще — рядом с подушками и ночью и днем дежурил Золотой Колокольчик.

Утро. Прокашлялось ранним лучом.

Старый Башмак натянул на голову одеяло...

Тогда раннее утро дунуло ветром.

«А-а, — наконец понял Старый Башмак, — кажется, уже утро» — и поднял голову со своей подушки. Еще не совсем проснувшись, Старый Башмак подумал о своем Младшем Брате. «Малыш крепко спит, сначала позвоню Вежливому Дворецкому», — решил Старый Башмак.

Старый Башмак отлично помнил Вежливого Дворецкого. У него смешные усы. Они умеют прыгать прямо до потолка. Да кроме того, Вежливый Дворецкий смешно шевелит ушами.

Пора звонить.

УТРО ОДОБРИТЕЛЬНО КУКАРЕКНУЛО

И солнце. И солнце. И солнце. И ветер. И солнце. И солнце. И сразу с неба отвалился огромный кусок, по-весеннему громкий, кусок утреннего крика птиц:

— Ки-ки-ки. Лю-лю и тир-лю-лю!

И совсем на другом конце Земли, в лесах Амазонки, быстрее мысли летали от цветка к цветку птички, сами похожие на разноцветные цветы, — колибри. Они так весело смеялись, что даже река Амазонка не боялась крокодилов и дергала их за хвосты.

— Пора вставать, — кукарекало утро.

— Пора звонить! — закричало утро всеми двадцатью пятью яркими солнечными лучами.

Но. И но...

Рядом с кроватью братьев висело большое зеркало. Оно было такое старинное, что его окружал голубой туман. Старый Башмак вдруг увидел, что из голубого тумана медленно вышла Голубая Леди. Высокая и очень красивая.

Голубая Леди приблизилась к кровати и наклонилась над ним. Стала внимательно рассматривать его подошву.

— Что я вижу — Знак Вечности?! — сказала Голубая Леди. — Не бывать этому! На земле вечна лишь я одна. Так всегда было и так всегда будет.

Изо всех сил потянула подошву на себя.

— Не отрывается, — прошептала она с досадой. — Ничего, придется подождать. Держится всего-то на трех гвоздях. Скоро сама отвалится...

Потом обошла кровать и подошла к Младшему Брату. Посмотрела на его маленькую подошву:

— А этого я забираю.

— Зачем? Кто вы? — поднял голову Старый Башмак.

— Я тебе нравлюсь?

— Вы красивая, — честно сказал Старый Башмак, — но, пожалуйста, не забирайте моего Младшего Брата.

— Потом и тебя возьму, спи пока и не бойся.

— Я не умею бояться, — но его слова закрыл зеркальный смех, и все кругом заволокло голубым туманом.

Когда туман рассеялся, на подушке рядом не было ни головы его Младшего Брата, ни подошвы, ни шнурков — пустота. Исчезла и Голубая Леди. Старый Башмак решил немедленно звонить усатому Дворецкому.

Я НИКОГО НЕ ВПУСКАЛ

Старый Башмак забыл номер мобильника Вежливого Дворецкого. И ничего удивительного: со сна трудно вспомнить.

— Значит так, — рассуждал сам с собой Старый Башмак — Восемь. Гудок. А дальше? Как дальше? — пытался вспомнить Старый Башмак.

Не мог вспомнить!

Старый Башмак крепко задумался. Так крепко, что все в его голове полетело вверх дном-кувырком. И вдруг к нему сверху спустили мысль-знак: «Проезда нет!» Автомобилисты такой знак называют «кирпич». И тут рядом с подушками Старый Башмак увидел дежурный Золотой Колокольчик. Старый Башмак позвонил.

Откуда-то из дворцовых высот раздался сонный голос:

— Ваше Высочество, вы меня звали?

Появился Вежливый Дворецкий, как всегда, в своем золотом камзоле.

— Что за Голубая Леди приходила сюда?

Вежливый Дворецкий ухватил правой рукой свои усы, чтобы они не ускакали. И его уши покраснели.

— Ваше Высочество, вы меня обижаете. Вот уж 157 лет я служу вам верой и правдой. И никто не может без

2. Заказ № 2211.

моего разрешения нарушить ваш сон и сон Младшего Брата Вашего Высочества.

— Тогда объясните, где голова моего брата? Где подошва? Где шнурки?

Вежливый Дворецкий обошел кровать, наклонился и даже осторожно провел рукой по подушке, где лежал Младший Брат. И его уши тревожно зашевелились.

— Действительно, вы правы, Ваше Высочество. Никого нет. И ничего нет.

— Пустота?

Наступила долгая пауза, во время которой тревожно и отдаленно солировало фортепиано, ностальгически стонал орган, словно он был выброшен холодной зимой на скалистый берег океана и делал трясущейся рукой электроакустические знаки: прощайте и не забывайте, кто меня любил, прощайте! А я буду всех вас любить и помнить!

— Абсолютная пустота, Ваше Высочество.

— Как это могло случиться? — решительно остановил взволнованную кровать Старый Башмак. — Ушла Голубая Леди. И нет моего Младшего Брата.

— Вообще-то у меня есть некое подозрение, кто была эта Голубая Леди. Но лучше я умолчу, — и Вежливый Дворецкий исчез, а его золотой камзол слился с утренней зарей.

Старый Башмак спрыгнул с постели, а в это время...

А В ЭТО ВРЕМЯ

Раздался тонкий девичий голос. Но, пожалуй, он был все же покрепче шнурков Старого Башмака:

— Вы еще не поняли, что здесь побывала Смерть? Да, она такая опасная, самая коварная дама.

— Голубая Леди? Почему она увела моего Младшего Брата?

— Вы, наивный Старый Башмак, подумали бы лучше о себе.

Старый Башмак хотел увидеть, кто с ним разговаривает. Он вообще-то был подслеповат. Ему уже давно пора заказывать очки. Но он стеснялся их носить.

И тут прямо на его нос вспрыгнула девочка. Он увидел ее розовое платьице. И без очков увидел.

— Как тебя зовут, прелестное дитя? Ты, возможно, тоже немножко Смерть? Ты ведь тоже очень красивая.

— Ой, какой же вы чокнутый! Проснитесь, Старый Башмак. Меня зовут Амелфа Пчелкина. Меня знают дети в разных странах. Не все красивые опасны, да еще коварны, как Смерть.

В это время сильный порыв ветра смахнул девочку с носа Старого Башмака. Старый Башмак не умел сердиться, но все же закричал на ветер весьма громко:

— Что такое?! Даже с ребенком поговорить нельзя! Где эта красивая девочка?!

А в то утро холодный ветер гнал по небу тучи. И в его планы не входило прогонять еще и мысли Старого Башмака. Возможно, по этой причине мысли Старого Башмака сами выстраивались в таком строгом порядке:

Первое: Куда улетела Амелфа Пчелкина?

Ответ: Не знаю.

Второе: Где мой родной Младший Брат?

Ответ: Его украла вместе со шнурками Смерть.

Третье: Но, может, она просто пошутила?

Ответ: Мне совсем не нравятся такие шутки. (*И еще тверже и громче.*) Да, совершенно не нравятся!

При этом Старый Башмак хотел выяснить для себя точно обстановку: «Это что, надо уже кричать караул? Или пока ждать?»

И в полмгновения, а точнее, в то же столетие принял решение:

Нет!

И решительно: нет!

Никаких ждать!

А сейчас же!

Немедленно!

Искать!

И найти брата!

И тогда же, не за один век, не за два, не за три века, а в единую секунду сочинил песню:

— Я иду...
Шлеп-на-шлеп!
Шаг за шагом!
Брат за братом!

БРАТ ЗА БРАТОМ!

И его песня не успела еще раствориться в воздухе, как он уже шагал по дороге...

Резиновая подошва хлопала на ходу. Но Старый Башмак не отвлекался посторонними мыслями. Сразу забыл о своем дворце. Даже не заметил, как он исчез.

А между тем хлынул дождь. Даже ливень. Старый Башмак шел по раскисшей от дождя проселочной российской дороге. Качество таких дорог многим известно. Поэтому мы не будем ни говорить, ни останавливаться на этом факте. А лучше расскажем про птицу Агами.

Она быстро бегает, правда, не в России, а в лесу Южной Америки, в Бра-

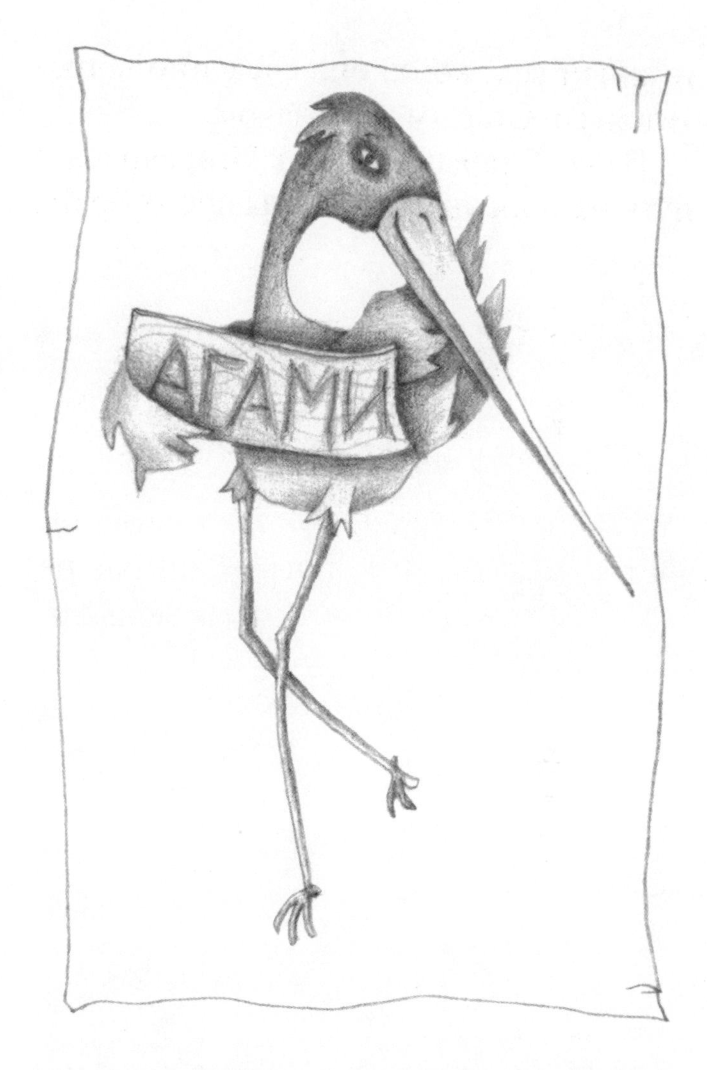

зилии, к северу от реки Амазонки, далеко от России, очень далеко. Может, мы увидим Агами, в нужную минуту, в нужный век, когда она случайно встретится со Старым Башмаком.

Итак, Старый Башмак отправился в путь на поиски своего Младшего Брата.

ВАСИЛЬ ВАСИЛИЧ ЗАКРУТИЛ ГОЛОВУ ПОЛОТЕНЦЕМ

А между тем флюс на щеке Василь Василича еще больше распух. Вы еще не забыли Василь Василича, у которого ужасно разболелся зуб?

Василь Василич закрутил голову полотенцем. Смотрел в окно на непрекращающийся ливень с третьего этажа старого панельного дома. Лет сорок-пятьдесят-восемьдесят назад этот дом подлежал сносу. Трубы проржавели на всех этажах дома.

Плохо работали
Водопровод,
Канализация.
Дождь не прекращался.
Сверкала молния.

Гром гремел не по крыше,

А по голове Василь Василича.

Полотенце уже не помогало.

Флюс продолжал расти.

Все шло к тому, что начнется мировой потоп,

О чем в старинных книгах были совершенно

Ясные предупреждения.

Это, кстати, беспокоило не только Россию,
Но и Европу,
Азию,
Северную и Южную Америку!

СТАРЫЙ БАШМАК ШАГАЕТ ПО ЕВРОПЕ

Старый Башмак шагал по шоссе. Он сам себе дал команду перейти с первой скорости на вторую, потом на третью. Мимо проносились машины, из-под колес машин вырывались фонтаны воды. Мокрый и вкось, и вкривь, мокрый трехмерной ландшафтной мокростью, как мустанг из мультфильма режиссера Келли Эсбори, Старый Башмак не обращал внимания на такие мокрые мелочи и продолжал шагать все с большей скоростью. И думал о своем любимом Младшем Брате. Вместе с Младшим Братом было бы веселее шагать и даже петь про дырявые зонтики, как они когда-то вместе пели. Да что поделаешь? Нет брата!

В Польше, в городе Гданьске Старый Башмак попал на старинную узкую улицу Марьяцкую. Каждый дом на этой улице выдвигал вперед каменные крылечки — с шарами, львами. Хоть и спешил Старый Башмак, а успел удивиться ее красоте: красивее улицы он еще не встречал. Но задерживаться не стал и пошлепал дальше.

— Шаг за шагом!
Брат за братом!

Старый Башмак пересек польско-германскую границу. И уже, можно сказать, на четвертой скорости шагал по Германии.

Шоссе было прекрасным и позволяло газовать так, что из-под подошвы Старого Башмака летели искры. Не замедляя хода, он выскочил на берег бурного Изара. В перспективе увидел горы.

Особенно легко было шагать по улицам города Мюнхена. Город чист. Мелькают до блеска начищенные мужские черные ботинки, белые кроссовки, женские туфли, детские сандалии. Нигде не видно грязных предместий.

Зеленые сады и парки могли бы развеселить усталого путника. Можно было бы отдохнуть в одной из пивной. Но наш путник боялся потерять драгоценную секунду, минуту, век. Он ни у кого не спрашивал дороги. Подчинялся только велению своего сердца. Разжигал сердце желанием — как можно скорее найти родного брата. И не фиксировал внимания на городах и весях.

— Шаг за шагом!
Брат за братом!

Старый Башмак так прошел всю Германию, и теперь уже шагал по Италии. Не всякая машина за ним бы угналась.

Вот он уже в одном из прекраснейших городов Италии, на берегу реки Арно. Во Флоренции. О, чудесная Флоренция! Здесь родилась литературная итальянская речь. Ее творцом был бес-

смертный Данте Алигьери, создавший «Божественную комедию». Он видел «Ад», «Чистилище», «Рай». А Старый Башмак ничего этого не знал.

Он был благодарен своей старой резиновой подошве: она держалась всего на трех гвоздях, но ни разу его не подвела. Правда, дороги в Италии были не хуже немецких. За Старым Башмаком вился сноп искр. Скорость. Скорость. И только скорость! А ветер шептал ему:

3. Заказ № 2211.

«Не спеши, чувствуешь запах садов? Погляди, какое чистое небо, какие здесь красивые дома. Посмотри, там в витринах магазинов стоят прелестные туфельки из крокодильей кожи на высоких каблуках. Здесь лучшие гостиницы мира, где можно остановиться хоть на тысячу лет и поспать». Но Старый Башмак упрямо командовал сам себе:

— Не тормози! Жми! Давай пятую скорость!

Только бы совсем не оторвалась резиновая подошва. Сменить резину некогда.

И дальше. Дальше. Туда, где, как он думал, ждал его брат.

Но, увы и ах, его ждал не брат. За ним следила и ждала его Смерть...

ЧТО ДУМАЛИ ВЗРОСЛЫЕ О СТАРОМ БАШМАКЕ?

Взрослые в разных странах мира отнеслись к Старому Башмаку сначала только насмешливо. Телеграфные агентства всего мира, как забавный закрут событий, передали с пометкой «срочно»:

«Старый Башмак вырулил на тропу войны. Он — ХА-ХА-ХА! — хочет сразиться со Смертью».

А из России с большим запозданием пришло сообщение:

«Жильцы домов № 11 и № 17 поселка "Сизые горки" по улице Марлевского города Зеленошуйска аплодируют герою и не считают, что его затея связана с выборами в губернаторы города Александра Валериевича Малахова».

Но после того, как в горной альпийской цепи, недалеко от горы Флэжер (Швейцария), прогремел большой силы взрыв газа или террористических мин, взрослые заговорили об «опасном», «необдуманном» поведении Старого Башмака. Можно ли так бессовестно раздражать Смерть?

«Он просто упрямый осел, — писала в эти тревожные минуты интернетовская монгольская газета “Батырдыр”, — даже хуже, он верблюд, потому что плюет на всех. Нелепо бороться со Смертью».

Ложь! Ложь! И ложь!

Как известно, Старый Башмак не хотел борьбы, сражений, он вообще не умел сердиться.

Старый Башмак умел быстро ходить — по любой дороге.

Любил своего Младшего Брата.

Не жалел ни себя, ни свою резиновую подошву.

И все с большей силой давил на скорость. Только бы подошва не подвела!

— Шаг за шагом!
Брат за братом!
— Шаг за шагом!
Брат за братом!

ИНТЕРВЬЮ

Телевизионному агентству Японии *SYTO* удалось (не известно, каким путем) взять у Старого Башмака, прямо на ходу, эксклюзивное интервью. Оно начиналось *shifre* и далее сразу:

Вопрос: Вы есть храбрый самурай и вы иметь план побед или как? Скорее как? Или скорее только побед?

Ответ: Я — Старый Башмак. Один башмак — мало. Два башмака — два брата. Я хочу иметь рядом своего родного Младшего Брата. Разве Смерти это не понятно?

Вопрос: А разве вам не понятно, что Смерть никогда и никого не отпускает?

Ответ: Нет! Брат найдет своего брата!

Сразу же это интервью (с некоторыми сокращениями) перевели в Калифорнии (США) на древнейший язык индейцев племени Мантаго.

— Гер-чи-ман-чуго? Вир-чу? Чир-ли-чи?

— Вер-чи-гар-чу. Чи-гар-мар-чу. Чик-матего-чипего. Матаго-чипаго-кар-чин-ман.

— Чин-кре-тин!

ПРЕСЛЕДОВАНИЕ

Старый Башмак шел по Италии. Позади остались Флоренция, Перуджа, Рим...

В Неаполе, городе без тротуаров, было множество автомобилей.

Старый Башмак двигался, прижимаясь к домам. И вдруг огромный голубой автомобиль с затемненными стеклами резко свернул в его сторону. Старый Башмак успел проскочить между колес. Он бежал, но голубая машина с черными стеклами, перелетая через дома, на узких улицах нагоняла его. Одно колесо уже нависло над ним.

В открытой витрине магазина были выставлены туфли и ботинки. Там же стояли аккуратные манекены — мужчина и женщина. Старый Башмак напрягся и прыгнул в витрину. Голубая машина проехала мимо.

Старый Башмак мог немного отдышаться. Вдалеке перед ним солнечным аккордом звучал голубой залив, а за ним — курящаяся вершина Везувия. Он увидел это в одно мгновение. И сразу же один из манекенов ударил его ногой, обутой в новый блестящий ботинок. Сбросил Старого Башмака вниз.

А голубая машина с затемненными стеклами уже успела развернуться.

Преследование продолжалось. Старый Башмак не просто бежал, а даже скакал. Он сам не знал за собой такой прыти. Колеса голубой машины вот-вот должны были накрыть его.

И тут Старый Башмак увидел, что дорогу перегородил туристский автобус. Это произошло недалеко от городского сада, между улицей Ривьера ди-Кийайя и улицей Караччиоло. Старый Башмак нырнул под автобус и оказался на другой стороне. Голубая машина с темными окнами легко перелетела через автобус и всей тяжестью придавила Старого Башмака. И несколько раз колесами отутюжила его, уничтожая, вдавливая в мостовую...

Старый Башмак лежал будто мертвый. Голубая машина с черными стеклами стояла рядом.

Минуты или годы прошли. А может быть, и века. Повалил густой снег. Мороз сковал Неаполитанский залив. Под глубоким снегом оказались дома и улицы когда-то шумного Неаполя. Жизнь в городе замерла.

И только продолжала куриться вершина Везувия. Она даже покраснела. А в нужный момент на вулкане полыхнул огонь. Из кратера вырвались камни, и по склону горы потекла раскаленная лава. Лед в заливе треснул, и засветился его солнечный глаз. Снег в городе стал быстро таять. По главной улице виа Толедо уже двигались машины.

Старый Башмак тяжело вздохнул и поднял голову. Огляделся. Его подошва была цела. Удивительно, но ни один гвоздик не сломался.

Старый Башмак встряхнулся. Рядом стояла машина с затемненными стеклами. Старый Башмак покосился на машину, на ее колеса. Еще раз вздохнул. Попробовал шагнуть. Он еще чувствовал холод, хотя на улице было не просто тепло, а даже жарко. Надо было дальше идти. И он весь подобрался, сделал шаг и еще шаг. Пошел, прихрамывая...

Дверца машины открылась. Вслед ему раздался знакомый зеркальный голос Голубой Леди:

— Побегай пока, Старик, а я тебя по-другому достану...

Послышалось шипение колес, похожее на шипение змей.

И голубая машина с черными стеклами проехала мимо, соединившись с потоком машин на центральной улице Неаполя.

Вначале Старому Башмаку было трудно идти, но уже скоро он вошел в привычный ритм. И, будто ничего не случилось, опять накручивал километры, прошел благополучно по улицам Салерно и дальше, и дальше, пока не вышел на самый юг Апеннинского полуострова, к мысу Спартивенто. И удачно спустился прямо на дно Ионического моря.

Он, по своей близорукости, не замечал, что идет глубоко под толщей воды. Старый Башмак держался только одной мысли, одной дороги, которой вело его любящее сердце. Конечно же, почти совсем оторвавшаяся резиновая подошва никак его не защищала. Он не обращал внимания, что давно, может, сто лет, как простужен. Температуру он не мерил. Не было термометра, да и времени не было. Время — сплошной насморк.

ПРЕДСКАЗАНИЕ ГОРГОНИИ МАРНО

Именно в это самое время, именно в эту самую эпоху было озвучено предсказание гадалки о конце света.

Известная гадалка Горгония жила в одной из пещер Сицилии. Ее предсказания почти всегда сбывались. Министры финансов многих стран Европы специально приезжали на Сицилию: не только отдохнуть, но и согласовать с ней бюджеты своих стран. Интересно, что это было сопряжено с риском. Некоторые в пещере оставались навсегда. Просто исчезали. Потом о них никто не вспоминал. Такой ореол опасности окружал Горгонию.

В Интернет поклонники гадалки передали:

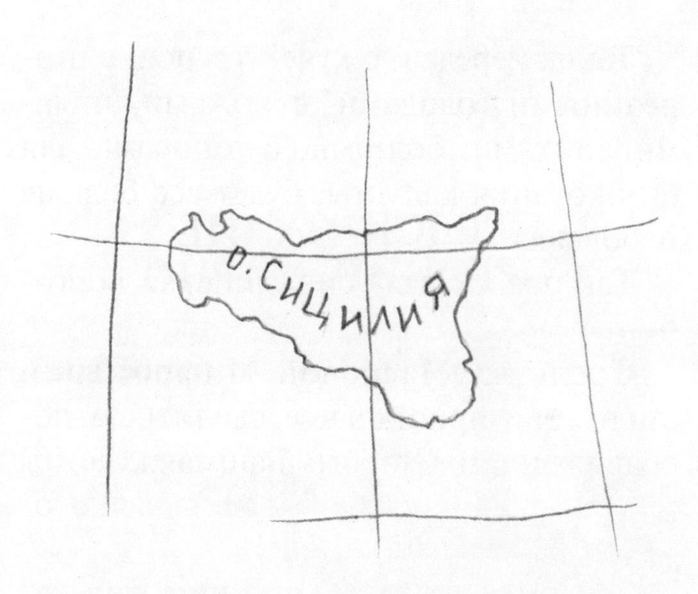

«С каждым шагом Старого Башмака приближается конец электрического света. Европу, Америку, Китай и другие страны (кроме Австралии) поглотит тьма.

Надо также ожидать:

Землетрясений

Террористических актов

Эпидемий гриппа

И особенно, прежде всего детям, опасаться совершенно убийственных передач по телевидению.

Таких передач, с кучей трупов, с оторванными головами, с ножами, пилами, гайками, болтами, с топорами для шинкования капусты, будет все больше и больше».

Так предсказала сицилийская Горгония.

Средства Массовой Информации стали еще пристальнее следить за передвижением Старого Башмака.

ПО ДНУ МОРЕЙ И ОКЕАНОВ

Итак, Старый Башмак оказался под водой. Вода. Кругом вода.

Он не помнил, когда последний раз видел небо, когда его согревали лучи солнца. Ему давно казалось, что во всем мире никого нет. Машины исчезли. Иногда ему навстречу плыли глубоководные рыбы. Подводные лодки. Медузы. Старые бомбы, оставшиеся от прежних войн. Для него все это — мимо! Даже затонувшие парусники и военные корабли, даже причудливые кораллы не интересовали его. Даже рыбы с длинными, как вуаль, красными хвостами. Он заклинился на одном: шагать и шагать!

4. Заказ № 2211.

И только один раз, в одной лагуне Тихого океана, он остановился. Увидел китов-горбачей. Могучая китиха играла со своим сыном-китенком. Они высоко выскакивали из воды, переворачивались в воздухе и кружились.

Китенок увидел Старого Башмака и что-то крикнул своей маме. Подплыл к ней, прижался к ее огромному белому брюху.

Старому Башмаку вдруг стало очень грустно. Он вспомнил свою маму, своего Младшего Брата. И поскорее пошлепал дальше.

А когда оглянулся, то увидел, как над лагуной поднимались четыре фонтана воды — большие и маленькие. А над фонтанами кружились чайки.

Старый Башмак опускался все глубже в океан. И для бодрости шептал:

— Шаг за шагом! Брат за братом...

— Шаг за шагом! Брат за братом...

И откуда ему было знать, что эти слова, произносимые им тихо, для себя, слышит весь мир. По Интернету они разносились в самые далекие уголки планеты. Их переводили на сотни языков.

ОБЛАЧКО ПОКАЗАЛО ЕМУ ЛИЛОВЫЙ ЯЗЫК

Это произошло уже в Азии, недалеко от острова Батам, вблизи маленького островка Сау.

— Молодой человек, вы это куда собрались? — услышал Старый Башмак.

Он огляделся. Никого. Над ним толща Тихого океана.

Вода вдруг забурлила вокруг него. Перед ним из крошечной ямки выкатилась не рыба — не зверь. А шар с дырочками. Из дырочек били фонтаны воды. Тысяча ртов, тысяча хвостов. И все это кружилось, смеялось, подпрыгивало:

— Хочешь Смерть победить? Ха-ха! Тыр-пыр восемь дыр.

Фонтаны воды забурлили. И вдруг вся вода быстро-быстро убежала в маленькую дырочку на дне океана. Открылось чистое голубое небо. И, откуда ни возьмись, в небе появилось грозовое облачко и показало Старому Башмаку лиловый язык.

Старый Башмак увидел лиловый язык и резко затормозил. Так резко, что заскрипела его резиновая подошва. И в ответ показал свой старый, истертый до белизны кожаный язык.

А еще тихо, но твердо сказал:

— Шлеп-на-шлеп! Брат найдет брата!

И волны снова накрыли его. Старый Башмак опять шел по дну океана.

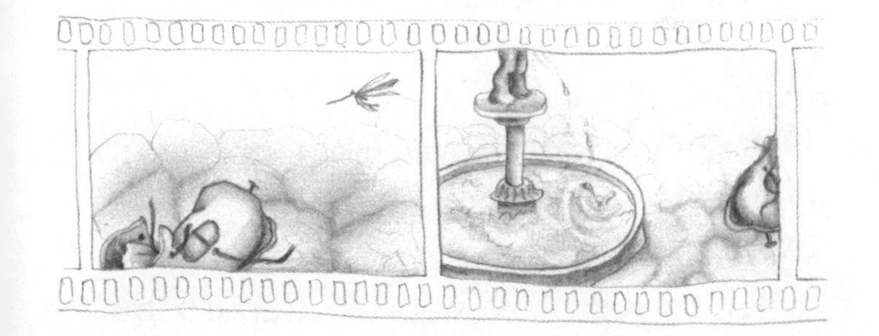

АГЕНТСТВО АМЕЛФЫ ПЧЕЛКИНОЙ

Детям новости о передвижении Старого Башмака сообщала по электронной почте Амелфа Пчелкина. Она работала в детскомагентстве «Что? Где? Когда?».

Это агентство очень любили дети. В агентстве существовало твердое правило: «Не врать! Никогда! Только если уж очень захочется, когда невтерпеж». Поэтому агентство называли для краткости: «Невтерпеж».

В общем, дети получали самые последние, самые верные сведения о движении Старого Башмака.

Только дети верили в Старого Башмака. Только они верили, что Старый Башмак найдет своего Младшего Брата.

РЕЗУЛЬТАТЫ БЛИЦ-ОПРОСА

Ник Бритон (6 лет, США). Я полагаю, более того, я уверен, что Старый Башмак уже повстречался с леди Смертью. И не испугался ее.

У-Ю (3 года, Китай). Пора нам всем нагрянуть ему на помощь. Пусть все едят больше риса с красно-желтым соевым соусом «Ни-бо-и-си-си-си»! И тогда Смерть отступит!

Петр Живулькин (вундеркинд, 2 года и 4 месяца, Россия). Решительно заявляю: необходимо начать с госпожой Смертью переговоры. И подать на нее жалобу в ООН. В конце концов, я спрашиваю: у нас действует Совет Безопасности? Или взрослым пора жевать резинку «DIROL-MANNA-KACHA»?

Лоран Рик (12 лет, Великобритания). Многие столетия нас, детей, пугали Букой Смертью. Да нечего тянуть резину. Сразу пустить в ход новейшее лазерное оружие — и дело с концом.

ОБРАЩЕНИЕ АМЕЛФЫ ПЧЕЛКИНОЙ

«Нам стало известно, что Смерть возродила чудовище Горгону Медузу. Даю краткую справку о Горгоне Медузе. У нее были змеи в волосах, которые издавали ужасающий рев. Всякий, кто встречал страшный взгляд Горгоны, превращался в камень.

Когда-то Персей, сын Зевса и Данаи, отрубил ей голову.

И теперь, якобы усилиями новейшей медицины, она ожила. И чувствует себя, по свидетельствам медиков, в хорошей, даже отличной боевой форме. Горгона Медуза с большими почестями была принята Смертью. В ее честь Смерть устроила шикарный бал с танцами и шампанским.

Ее потомки размножились. К тому же оказалось, что они размножаются гораздо быстрее людей. Более того, многие стали усиленно разводить этих смертоносных гадов в бассейнах своих особняков. Их полюбила Смерть.

Взрослые еще не осознали опасности возрождения Горгоны Медузы. Хитрый план Смерти не раскрыт. Она готова убивать не своими руками. Будьте все осторожны!»

«Конечно, Старый Башмак не знает страха, — пишет далее Амелфа Пчелкина, — он не умеет бояться. Но за него очень страшно. По нашим сведениям, Смерть отслеживает каждый шаг Старого Башмака. И мы тоже следим за ним. Пока это все, что мы можем для него сделать. И мы готовимся к решительному сражению со Смертью».

Она закончила призывом:

«ВСЕМ МИРОМ ПОДДЕРЖИМ СТАРЫЙ БАШМАК!»

СНОВА В ЕВРОПЕ

Старый Башмак день и ночь шел по дорогам и без дорог. Спускался на дно океанов и морей. Делал большие круги. И вот бесконечный путь под водой снова вывел его в Европу, во французский порт Марсель.

Старый Башмак зашагал с еще большей скоростью по дорогам Франции.

В столицу Франции, Париж, Старый Башмак пришел уже поздней ночью. На улице Риволи он увидел человека, который жарил каштаны. В полном одиночестве, и при этом размахивал руками, точно дирижировал оркестром. Старый Башмак чуть притормозил. И вместо музыки услышал одинокий писк комара.

«Человек один, комар один, и я совсем один», — успел на ходу подумать Старый Башмак.

Его словно магнитом тянуло. После Франции, как писала вечерняя бельгийская газета «Кикируж», его уже видели в Бельгии.

Он вышел на Большую площадь Брюсселя, бельгийской столицы. Миновал здание Ратуши и остановился около фонтана. На высоком пьедестале — крохотный, бронзовый, босой купидон пускал воду струей вполне натуральным способом. Он пи́сал. Старый Башмак смотрел, смотрел и улыбнулся. Это, пожалуй, была его единственная улыбка в пути.

И опять, не жалея подошву, крутил скорость.

— Шаг за шагом!
Брат за братом!
Шаг за шагом!
Брат за братом!

ЛИЧНАЯ ЗАПИСКА АМЕЛФЫ ПЧЕЛКИНОЙ

Дорогая Ли! Только тебе могу сказать: следов Старого Башмака после Брюсселя я не могу найти. Никому не рассказывай. Держи в секрете. По нашим сведениям, его видели в Польше, на Рыночной площади в Люблине. Сведения не точные. Думаю, он идет в Россию. И еще я думаю, что это Смерть его незаметно ведет. Не могу с полной уверенностью утверждать, но у меня такое чувство. А оно меня редко обманывает. Пока никому ничего не говори.

часть II

ЛОВУШКА

ОНИ ЗНАЛИ НАУКУ МЕРТВЫХ

Ухин-Шухин Старший и Ухин-Шухин Младший родились и жили в закрытом городе России. О его существовании не знали, а только догадывались. И находился он среди невысоких Уральских гор, на границе Европы и Азии. Про город запрещалось шептать даже ящерицам и полевым мышам. Названия у города не было, а только сверхсекретный номер 25 в степени n+387. Так что найти его на карте никто не мог, даже сами жители города. Поезда туда не ходили. Самолеты туда не летали. Деревьям, которые росли вблизи тайного города, было запрещено шептаться о городе даже в самый сильный ветер. Даже в бурю. При въезде в город, ближе к

5. Заказ № 2211.

Азии, чем к Европе, висело железное предупреждение. На нем были нарисованы череп и две кости. А ниже: НИКТО! НИГДЕ! НИКОГДА!

Кто такие Ухин-Шухин Старший и Ухин-Шухин Младший? Отец и сын? Да, может быть. Но в особо секретном отделе Научно-исследовательского института уже 168 лет назад они подписали секретную бумагу о неразглашении. А как назывался институт? А вот так: «16% 33 *fin*». В простонародье, в окрестных деревнях его называли «Живой мертвяк за каменным забором».

Название осталось, но с годами забор зарос крапивой и бузиной. Кирпичи, из которых был сделан забор, крестьяне давно растащили на свои хозяйственные нужды. Некоторые крестьяне сложили печи и даже построили свинарники, а многие кирпичи валялись в канаве.

В институте давно никто не работал, кроме отца и сына. Оба уже такие старые, что было непонятно, кто из этих седых старцев отец, а кто — сын. Толь-

ко они знали науку мертвых, или, как их по-научному называют, «жмуриков».

Каждый год, когда поднимается голубое Горное Солнце, те, кто был в земле, оживают. И напрасно думают, что «жмурики» не знают страсти к перемене мест. Ученые, отец и сын, из института «16% 33 fin», путем многовековых исследований выявили, что, когда поднимается Горное Солнце и его голубые лучи освещают землю, они потоками стекаются на гору Фортине.

И река умерших течет не вниз, а вверх, к вершине горы. Они греют свои кости в переливном голубом свете Горного Солнца.

Нужно дождаться Горного Солнца — и тогда к ним можно, не ожидая никаких неприятностей, подойти и спокойно побеседовать о Жизни и Смерти.

К горе Фортине вела узкая тропинка, заросшая малиной и шиповником. О ней знали только Ухин-Шухин Старший и Ухин-Шухин Младший.

РАЗГОВОР С «ЖМУРИКОМ»

Боб Вовкин жил недалеко от горы Фортине. В то утро Вовкин рано поднялся. Взял сачок для ловли бабочек и, никому ничего не сказав, вышел из дома и отправился ловить бабочек.

И увидел, как множество голубых бабочек кружится над горой.

Вовкин стал пробираться через заросли кустарников. Вдруг он вышел на узкую тропинку. Тропинка повела его в гору.

Он лез на гору все выше и выше. Махал сачком, но ему не везло. Бабочки ловко увертывались.

Конечно же Вовкин не замечал времени.

Горное Солнце светило так ярко, что Вовкин зажмурился.

— Мальчик, — услышал он, — у тебя нет кусочка сахара?

— Пожалуйста, но это не сахар, а конфета. Вам повезло, я всегда с собой ношу конфеты. Не забудьте только развернуть фантик.

Рядом захрустели.

Так ярко светило голубое Горное Солнце, что Вовкин не увидел, кому он отдал конфету.

— Ты добрый мальчик. Но запомни, все живое произошло из яйца.

— Вы так уверены?

— Совершенно. Я доказывал это всю жизнь. Я был английским врачом. Запомни мое имя — Уильям Гервей. А в каком веке я жил, это для тебя не имеет значения.

Глаза Вовкина приспособились к свету Горного Солнца, и тут он увидел, что его собеседник — череп.

В свои семь лет Вовкин не был трусом.

— Я не хочу тебя пугать, — прошептал «жмурик». — Но если вы, дети, задумали победить Смерть, то берегите Старого Башмака!

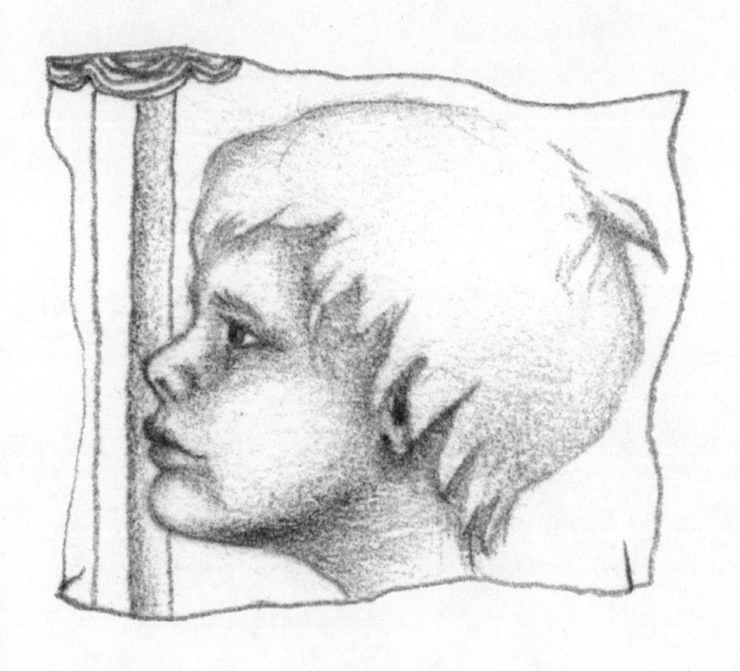

Вовкин бросил сачок. Побежал вниз.

И в ушах Вовкина еще долго гремело:

— Старый Башмак, Старый Башмак и его подошва...

— Ты слышал, мальчик? Найдите! Найдите его!

— На его подошве тайный Знак Вечности! В этом его сила...

СТАРЫЙ БАШМАК ПОДОШЕЛ К ГОРЕ ФОРТИНЕ

А в жизни как бывает: не все, что можется, сразу хочется. А еще так — прибежал крокодил к ящерице, а ящерица говорит:

— Не случится ли так, что крокодилов вообще в школу не пустят? Как ты, крокодил, будешь тогда свистеть соловьем?

Крокодил открыл свою зубастую пасть и не пил, не ел, а очень долго думал.

Он думал, а время шло и шло, и крутилось стрелками часов, и еще накручивалось Старым Башмаком по ухабистым дорогам России. Пока Старый Башмак не подошел к горе Фортине.

А я уверен. Я согласен с Амелфой Пчелкиной, что сама Смерть его туда вела. Даже, незаметно для него, подталкивала, подпихивала.

НЕОЖИДАННАЯ ВСТРЕЧА

Глубокой ночью Старый Башмак подошел к подножию горы Фортине. На вершине горы раскачивался одинокий фонарь. Старый Башмак посмотрел на неровный тусклый свет фонаря и полез вверх.

Он почему-то знал, что ему обязательно надо подняться на самую вершину.

«Ах, если бы у меня была хорошая подошва, — мелькнуло у него в голове. — Ладно, и с такой залезу».

Неожиданно среди кустов он нащупал подошвой тропинку. Сразу подниматься стало легче.

— За шагом шаг!
За братом брат!

Башмак идет,
Ох-ох, вперед!

Уже почти у самой вершины он поскользнулся и кубарем покатился вниз. Услышал смех. Поднял голову. Никого не увидел.

От земли и с неба слышался свист и хрип...

Время не скрутило его сердце в завиток слабости и страха.

Старый Башмак снова полез вверх.

Стало рассветать, когда он добрался до вершины.

«И тут нет моего братца», — успел подумать Старый Башмак и от волнения сразу уснул.

...Он сидел на кровати во дворце. К нему подошел Вежливый Дворецкий:

— Ваш Младший Брат, Ваше Высочество, покинул свет.

— Что?!

— Да. Его украла Смерть.

— Но зачем?..

— Какая приятная встреча! — услышал Старый Башмак. Сквозь красно-оранжевые, голубые и фиолетовые пятна проступил в голубом тумане образ прекрасной Голубой Леди.

— Посмотри на меня. Я тебе нравлюсь? Иди, иди ко мне.

Старый Башмак шагнул и очень быстро заплутал в голубом тумане. А ласковый голос все звал:

— Иди... иди... Ты боишься?

— Нет, Леди, я не умею бояться. Просто я хочу найти моего Младшего Брата.

— Ты его никогда не найдешь... никогда... никогда... — голос становился все глуше, все туманнее, превращаясь в шипение змей...

Старый Башмак сделал еще один шаг и шагнул в пустоту.

И ТОГДА НА ЗЕМЛЕ НАЧАЛСЯ ПОТОП

И в эту самую секунду, в эту самую минуту, в эту самую эпоху на землю обрушились потоки дождя. Проливные дожди и ливни закрутили кристалл времени.

Кристалл времени сверкнул молнией. Все живое — мыши, птицы, человеки — попрятались в своих жилищах. Потерялись в закоулках меняющего свои одежды Вечного Времени. Закрыли плотно двери и окна. Забили их огромными гвоздями, чтобы не видеть и не слышать. Страх напугал даже деревья в лесу. Что могло трепетать — трепетало. Деревья трепетали листьями все сильнее. Ветер вырывал деревья из земли вместе с корнями. Живое испугалось. Нить жизни вот-вот должна была оборваться.

Что предсказала сицилийская гадалка Горгония Марно, то и сбывалось.

Старый Башмак летел в пустоте кратера горы Фортине.

А рядом с ним был слышен зеркальный смех Голубой Леди:

— Ты останешься здесь навсегда, и Знак Вечности не будет меня тревожить.

Потоки воды крутили Старый Башмак. Били его о стенки кратера.

— Шлеп-на-шлеп! — крикнул Старый Башмак. — Извините, но мне это страшно не нравится.

Это были его последние слова.

ПОСЛЕ ПОТОПА

Прошло несколько эпох, а может быть, дней и ночей. Небо стало светлеть.

От потопа остались только огромные лужи.

Да, на земле у всех было множество дел.

Сигналили автомобили, чтоб оторваться от дороги в неизвестном направлении.

Кто-то смеялся. Кто-то плакал.

Небо не падало на землю, боясь рассыпать звезды.

Сны попрятались в компьютеры. И только некоторые, особенно веселые, ушли в цирк.

После потопа Земля чихала, сморкалась и торопилась сесть в свой автомобиль, либо в троллейбус, либо спуститься в метро.

А плюгавая пушинка-соринка шепнула. И ее шепот был в прямом эфире, и потому его можно было рассмотреть при ярком свете юпитеров. Даже по восемнадцати программам телевидения. И шепот еще не умолк, как все телезрители и прочие граждане-старушки узнали:

Старый Башмак пропал. Его вместе с подошвой и шнурками съела Смерть на горе Фортине.

Вот какой звон пошел по всем странам. И от кого? От такой плюгавой пушинки-соринки.

6. Заказ № 2211.

ШТАБ В МЮРРЕНЕ (ШВЕЙЦАРИЯ)

— Нет! Не верю, — сказала Амелфа Пчелкина. — Я чувствую, что Старый Башмак жив! — Эти ее слова, произнесенные в Швейцарии, услышали дети всего мира.

Агентство Амелфы Пчелкиной помещалось в маленьком домике под красной черепичной крышей. Место для дома в Мюррене было выбрано весьма удачно. Амфитеатром окружали горы. Видны были Эйгер и Менх, сверкающая снежная вершина Юнгфрау. И здесь хотелось думать о Жизни, а не о Смерти. Но дети не могли отступить.

В дом вбежала таитянка Лу и принесла срочное сообщение, которое пришло по Интернету.

**СТАРЫЙ БАШМАК ЖИВ,
НО ЕМУ ГРОЗИТ ОПАСНОСТЬ.
НА ЕГО ПОДОШВЕ – ЗНАК
ВЕЧНОСТИ.
СМЕРТЬ ЭТО ЗНАЕТ И БОИТСЯ.
БОБ ВОВКИН.**

— Поняла, Лу? — сказала Амелфа. — Он жив! Надо срочно его найти и спасти. С этой минуты, в эту эпоху мы организуем Общество Защиты Старого Башмака, а наше агентство становится штабом. А еще, Лу, отправляйся к горе Юнгфрау. Там ты найдешь источник живой воды. Набери ее в стакан.

И позже, когда на столе Амелфы появился стакан из чистого источника с живой водой, Амелфа поняла, что теперь секунды, минуты и века определены. Время борьбы пошло!

РАЗРУХА

Кукушка прокуковала еще до восхода солнца.

Ее кукование посолило голову стрекозы Целестины.

«Вот и утро, — подумала Целестина, — а чего-то спать еще хочется». — И полетела к озеру, чтоб пошевелить крыльями.

— Стрелять и убивать, — жужжала воинственная муха, не очень высоко поднявшись с навозной кучи.

А навозные жуки жужжали:

— Подтягивайте резервы!

— Никто не должен ускользнуть. Всех отправить на склад! И танки к бою!

Смерти такие вояки очень понравились. И она открыто передала по Интернету:

— Я буду дышать вашими пушками и самолетами, вертолетами и бронежилетами... и взрывами... и страхом... и ужасом...

Потом вышла в эфир с гнусавой попсой.

После наводнений страшная жара обрушилась на страны мира. Ветер Смерти шевелил ветками иссохших деревьев.

Беспорядок и разруха закрыли Зеленое Ухо Земли.

ОБРАЩЕНИЕ АМЕЛФЫ ПЧЕЛКИНОЙ К ДЕТЯМ ЗЕМЛИ

Смерть бросила вызов всем гражданам и человекам. Старый Башмак ищет своего брата. А его ищет Смерть. Она хочет его уничтожить. А дети не хотят и не позволят. Это — факт. Только дети XXI века смогут победить Смерть. Если мы не поможем Старому Башмаку, то он совсем погибнет. И так его резиновая подошва держится на двух-трех гвоздях. Дети мира, создавайте дружины. В дружины должны входить дети не старше одиннадцати лет.

Да здравствует компьютер! Да здравствует Интернет во всем мире!

ОНИ КОВАЛИ МЕЧИ

Недалеко от деревни Кампо-Дольчино, где проходит известная Шплюгенская дорога, в горах Швейцарии, два юных почитателя Старого Башмака Дин и его младшая сестра Вевея в старинной куз-

нице начали ковать мечи для воинов-детей. Вевея и Дин уже давно любили Старого Башмака.

Вевея работала как кузнец, а Дин был молотобойцем.

Они ковали и, как песню, повторяли слова Старого Башмака:

— За шагом шаг!
За братом брат!

Каждый подходил и брал себе меч по руке.

СИЛА СВЕТА

А Смерть вдруг почувствовала, что у нее в животе загудело слово «дети».

— Их яичницей не удивишь, — додумалась Смерть.— Они из тебя самой яичницу изжарят, да еще для смеха в компьютер вставят. У, акселераты интернетовские... Тьфу! Мы еще поглядим, каковы они в боевом деле. Скрестим мечи и шпаги!

И тут же сделала так, что Аполлон ван Люлькин, который спал в своем маленьком лесном домике, там, где сохранился совсем маленький буковый лесок (*het Boch*), рядом с Гаагой, столицей маленького государства Голландия, услышал во сне голос бразильского красно-синего попугая:

— Лампа... лампа... лампа...

Солнечный зайчик, который спал тысяча лет в носу Аполлона ван Люлькина, вдруг вытянул право-левую ногу и чихнул.

— Будь здоров! — сказал Аполлон ван Люлькин и проснулся.

И вместо того, чтобы ввинтить сорокасвечевую лампочку в свою настольную лампу с зеленым абажуром, врубил 554 вольт-ампер.

— Каррашо... каррашо... — снова услышал Аполлон ван Люлькин голос бразильского красно-синего попугая.

И мгновенно заснул на века.

МГЛА ЗАКРЫЛА ЗЕМЛЮ

И в этот самый момент, в эту самую эпоху лампочка под зеленым абажуром замигала и со страшным треском лопнула. И наступил во всем мире конец электрического света. (Аполлон ван Люлькин ничего не заметил. Весь мир встал на уши, а он как спал, так и до сих пор спит. Да еще похрапывает во сне.)

Мгла закрыла землю. Самолеты не находили аэродромов. Машины, окутанные мглой, почти не двигались.

Не работали светофоры, телевизоры, электроплиты.

Исчезла реклама.

Отключился Интернет.

Люди стали покупать свечи.

Жизнь была отброшена на несколько веков назад.

И многие слышали, как Смерть хохотала и похвалялась:

— Я всех найду. А вы, детишки, еще слабаки со мной сражаться. Кишка тонка.

ОТ УХА К УХУ

— Боже мой! — закричала Амелфа Пчелкина у себя в детском агентстве. И заплакала.

— Что я натворила! — Слезы у девчонки лились в два ручья.

— Как я могла так расхвастаться: выступала по телевидению, писала в Интернете. И Смерть, конечно, узнала о наших планах. Я всех предала. Что теперь будут делать взрослые? Они будут нам только мешать.

Схватила из стола ножницы и отрезала свои великолепные русые косы. Они упали на пол. (В дальнейшем она побрила голову наголо.)

И, размахивая ножницами, Амелфа закричала:

— Все! Никогда! Передавать сообщения только детям, от у́ха к уху. Никаких взрослых. Говорить о важном только шепотом. Так будем действовать.

Ее самая близкая подруга в детском агентстве, таитянка Лу, между прочим, прелестная, как драгоценная статуэтка из черного дерева, пыталась ее утешить. Обняла и тоже заплакала:

— Еще не все потеряно. Мы еще посмотрим, кто кого...

— Знаешь, Лу, почему я так лопухнулась? Я ведь хотела не только спасти Старого Башмака, но еще и покрасоваться во взрослом телевидении. Да, это так. Не утешай меня.

И она, плача, призналась:

— Еще в пеленках я мечтала стать топ-моделью. Убожество! Какое убожество! Понимаешь, наш уникальный смертельный проект взрослые сразу отправят в шоу-бизнес.

— Ты права, Амфа. Ты всегда была умнее взрослых в сто раз, — и Лу тоже заплакала.

— Утри слезы, Лу. Сейчас я тебе открою самую важную тайну. Боб Вовкин, когда был на горе Фортине, узнал, что Главная резиденция Смерти — в тропическом лесу Бразилии, недалеко от реки Амазонки. Его секретное письмо я сожгла, но все хорошо запомнила.

Пора действовать. Собрать в единый кулак наши силы. Я уже прикинула: начнем движение небольшими отрядами. В отряды набираем детей от 0 до 11 лет.

— А если попадется классный мальчик, которому исполнилось 12 лет?

— В исключительных случаях. Только с согласия штаба. Я уже говорила: взрослые с их пушками-ракетами пусть отдыхают. Передавать от уха к уху. А чтобы Смерть и взрослые нас не услышали, ничего не поняли, мы переходим на особый детский праязык:

— Чихай! Будь здоров! Съел три лягушки, два кита. Чур-би, чур-мабу и пузырь во лбу. Все. Будешь уходить, растворись во мгле.

Уже у двери Лу остановилась:

— А как же Старый Башмак? Ему сколько лет?

— Полагаю, не больше семи икс в минус первой степени.

КУ-КУ

Провалившись сквозь землю, Старый Башмак вылез на поверхность в Южной Америке, в Венесуэле, в городе Пуэрто-Карреньо.

Он шагал по узким улицам южного города. Было жарко. Старый Башмак не снижал скорости.

— За шагом шаг!
За братом брат!
Старик идет.
Башмак, вперед! —

подбадривал себя Старый Башмак.

Было пустынно. Ставни в домах закрыты.

Улицы вывели его на площадь. Посередине площади стояла башня с часами. Стрелки часов крутились назад.

7. Заказ № 2211.

В часах открылось окошко. Высунулась кукушка:

— Ку-ку!

— Куда я попал?

— Над тобой, Старый Башмак, века и века. Покорись. Тебе не одолеть время. Не найти брата.

— Вы так думаете? — удивился Старый Башмак.

— Ку-ку! Ку-ку! Ку-ку! — услышал он в ответ.

Окошко в часах закрылось.

Старый Башмак посмотрел на быстро крутящиеся стрелки часов, постоял и опять пошел.

— Ничего. Дорога выведет, — твердо решил Старый Башмак.

ВЕЧНЫЙ СТРАННИК

Самым причудливым путем уводила Смерть Старого Башмака подальше от детей, превращая его в Вечного Странника.

Именно так Смерть решила избавиться от него, когда не смогла уничтожить на горе Фортине.

Смерть погружала его в одиночество.

— Он будет искать своего брата, но находить только нескончаемую дорогу. Дорогу везде — на земле, в воде, в небе. И никогда ему не найти своего Младшего Брата. Века за веками, тысячелетие за тысячелетием, Вечный Странник будет все шагать и шагать. Пока не оторвется его подошва. И тогда он упадет без сил и надежды. Вот когда я посмеюсь над ним и над всеми детьми.

ЕЩЕ ОДИН, НОВЫЙ СОН СТАРОГО БАШМАКА

Смерть дохнула на него, и он оказался на огромной кровати. Старый Башмак пытался идти, но не смог. На кровати росла густая трава. Его шнурки путались в траве. Стрекотали кузнечики. Один кузнечик схватил травку, спросил:

— Петушок или курочка?

— Петушок.

— А вот и нет! А вот и нет! — запрыгал кузнечик.

— Глупости, мне надо поскорее найти своего брата.

И он стал прорываться сквозь траву.

А дорога не кончалась, кровать уходила в бесконечность. Было ужасно трудно идти. Тяжело передвигался Старый Башмак. А тут еще бабочки мешали, крутились над головой. Особенно одна — траурница. С грязно-кремовой каймой:

— Спи, не надо двигаться... спи... спи...

— Нет! — закричал Старый Башмак и проснулся. — Мне надо идти. Идти.

Даже во сне он только накручивал километры за километрами, а дорога все тянулась, не кончалась. И самое удивительное — ни разу злоба не скрутила туго его шнурки. Была только неутолимая, как жажда, любовь к брату. И непересыхающая песня сопровождала его:

— За шагом шаг!
За братом брат!
Башмак идет.
Старик, вперед!

часть III

ГЕНЕРАЛЬНОЕ СРАЖЕНИЕ

СТЕКЛЯННАЯ СТЕНА В ТРОПИЧЕСКОМ ЛЕСУ

Еще раньше, задолго до происходящих событий, крупнейшая пищевая корпорация США «Филип Моррис» (*Philip Morris*) для расширения своего производства направила в район Амазонки трех китайских ученых — Ху, Ли, Бо. Об этом было краткое сообщение в научном журнале. Вообще-то они изучали лиану Монстеру (*Monstera deliciosa*).

Томительный зной не спадал ни днем ни ночью. Они шли по звериной тропе. Неожиданно перед ними возникла Стеклянная Стена.

Как это произошло? Что она скрывает? Ученые на это не могли дать ответа. Цепляясь за лианы, Ху, Ли, Бо все же сумели подняться. И измерили ее высоту: 12 метров 87 сантиметров. А

толщину не удалось точно измерить — примерно 6—8 метров. Не смогли они определить и где она начиналась, где кончалась. Единственно, что им удалось выяснить, — Стеклянная Стена пуленепробиваема.

Пищевая корпорация «Филип Моррис» не только не одобрила инициативу ученых, но и вынесла им строгий выговор.

Что касается Стеклянной Стены, в сообщении было сказано: китайские ученые столкнулись в бразильских туманных тропиках с неопознанным объектом. Возможно, Стену построили пришельцы с другой планеты. Когда дойдут до нее руки, будем изучать.

А по древнему поверью индейцев, за Стеклянной Стеной укрывалась сама Смерть. Но взрослые, конечно, в это не верили.

ТАЙНЫЙ СОВЕТ

Взрослые не знали, кто прячется за Стеклянной Стеной. Это и понятно. А дети не стали им объяснять. У детей был свой план действий, и они не дребезжали, как старое железо, если по нему стукнуть оглушилкой.

Пункт один: срочно перебросить свои силы в район Гарца (Германия), отдельной горной цепи, густо поросшей лесами, в долину реки Боде, дикой и величественной, окруженной гранитными скалами. На правом берегу находится Хексэнтанцпляц (площадь Шабаш ведьм). А напротив нее, на другом берегу, — горная вершина Росстраппэ, где сохранился знак копыта колоссального коня принцессы Ру, однажды уже сражавшейся со Смертью.

Маленький домик в этом месте был выбран перед решительным сражением. Туда, чтобы запутать следы, перевели штаб Амелфы Пчелкиной из Мюррена от горы Юнгфрау.

К новому засекреченному штабу шли и шли юные бойцы со Смертью.

Они шли туда и горными тропами, и шоссейными дорогами. И был приказ: оружие не показывать. Разговаривать только на тайном языке:

— Чихай! Будь здоров! Съел три лягушки, два кита. Чур-би, чур-лабу и пузырь во лбу.

— Здравствуй, брат!

— Здравствуй, брат!

Так можно было приветствовать и мальчика, и девочку.

Потом дети растворялись в воздухе.

ОН СТАЛ ВО ГЛАВЕ

— Пойдем, Амфа, — упрашивала таитянка Лу свою подругу.

— Нет, Лу, мое место не за столом, а у дверей.

— Что ты ломаешься, как взрослая. Ты, Пчелкина, сделала своим агентством больше, чем кто-либо из нас. Главное — Общество Защиты Старого Башмака набирает силу. Смотри, какие люди сидят за военным столом — дети борьбы и победы. Пьер Жиль де Жен, Джон Буль, Отто Валлах, Мария Склодовская-Кюри, Адольф фон Байер, их прадеды — лауреаты Нобелевской премии, Евмел, его пра-пра-пра-пра-пра-пра-пра-пра-пра-пра-пра-пра-пра-пра-пра-пра-пра-пра-пра-прадед был когда-то царем Боспорского государства, Кайли Миноуг, ее бабушка пела в испанской рок-группе *«Las Kaktus»*.

Председательское место никто пока не занимал. На столе стоял стакан с живой водой, принесенной от горы Юнгфрау. Времена и века спокойно покоились в стакане. Вдруг вода забурлила.

И совершенно непредсказуемо с грохотом распахнулась дверь. На пороге стоял солнечный мальчик. Его рыжие волосы светились, как океанское солнце, миллионами лучей. Он говорил тихо, но словно огромные камни катились с вершины Монблана, царя альпийских гор:

— Меня зовут Джо Картошкофф. Даю краткую справку о себе.

Родился глубоко под водой. Маленькая, веками забытая деревня Ча. Ее можно при огромном, 12-балльном желании найти на самом краю Атлантиды, когда-то затонувшего в океане царства. Обладаю магнитодвижущей силой. Ваш проект мне нравится. Буду вашей

главной лучевой силой. Все. Заседание закрыто.

— Протестую! — поднял руку маленький, черно-буренький Джаник Де Ла Карапуз (2 года и 6 месяцев. Соломоновы острова). — А что сказать маме, если она спросит, где я был и что делал?

— Ничего.

— Что значит — ничего?

Джаник был маленьким, но весьма подковыристым мальчиком.

Наступила в двести пятьдесят километров тишина. И во время этой глубочайшей тишины взоры присутствующих на совете Общества Защиты Старого Башмака были обращены к Джо Картошкофф. Все понимали, что вплотную подступил Момент Истины. Сумеет ли Джо найти ответ на такой, казалось бы, простой вопрос.

— Как ты в свои 2 года и 6 месяцев, Джаник, еще не понял такой факт, что номиналистически мы со взрослыми в разных измерениях? Скажи, ты свободно летаешь?

— *Yes, sir*, — почему-то перешел на английский Джаник.

— А твоей маме нужно проходить таможенный контроль при полетах?

— *Mais oui*, — о да, конечно, — по-французски согласился подковыристый Джаник.

Дети с облегчением вздохнули. А солнечный рыжий пришелец протянул руку к стакану с живой водой и... в один глоток выпил все времена, все века. До самого дна. И поставил по-царски небрежно на стол совершенно пустой стакан.

— Какие еще вопросы? — Он обвел сверкающими, океанскими глазами всех присутствующих. — Больше нет вопросов? Тогда в полет, к Амазонке! — прогремел Джо. — И никаких самолетов! Никаких таможенных контролей! Вперед!

8. Заказ № 2211.

НОЧЬ
В ТРОПИЧЕСКОМ ЛЕСУ

Мы шли один за другим по узкой звериной тропе. Влажный сумрак окружал нас. Воздух был таким липким и вязким, что, казалось, невозможно сделать ни одного шага. Кругом поднимались гигантские деревья, спутанные лианами. Самые маленькие из нас летали, как бабочки. И если бы не светящаяся солнечная голова Джо, мы бы сбились с пути.

Нас вела боевая песня Старого Башмака. Разрывая в клочья лианы, Амелфа Пчелкина запевала:

— За шагом шаг!
За братом брат!

Шагай, братва!
Даешь, ать-два!

8*

И ее таитянская, верная подруга Лу, а за ней и мы все подхватывали, размахивая мечами:

— Гурьба ребят,
За братом брат,
За шагом шаг.
И только так!

И день, и ночь.
И там, и тут.
Шагай, братва!
Даешь, ать-два!

Поддай-ка, друг,
Еще шажка!
Сто ног, сто рук —
Одна башка!

А между тем тропический лес запеленговала ночь. Спустилась мгновенно. Вошла, как огромный нож в масло. Вместе с удушающей сыростью. Закричали попугаи. Завыли филины. Застонали саламандры и обезьяны. Чувствовалось, что мы приблизились к цели — Стеклянной Стене.

Огонь солнечной головы Джо Картошкофф прорвался сквозь сырые крики тропической ночи.

— Стоять! — отдал приказ по живой цепочке Джо.

Мы остановились. И он сказал такие слова:

— Я гляжу сквозь века. И грустно видеть, как годы и века Смерть никого не щадит. Далеко-далеко отсюда, там, где река Тигр впадает в реку Евфрат, были когда-то богатые государства Аккад и Шумер. Были и другие государства. Какая память о них осталась?

Мы молчали.

— Дети, — сказал Картошкофф, — давайте сохраним память о тех, кого жестоко, беспощадно забрала Смерть.

— А как? — спросил маленький летучий голландец Ян ван Хердер (3 года и 4 месяца. Его пра-пра-пра-пра-пра-пра-пра-пра-пра-пра-пра-пра-пра-пра-

прадед первым из европейцев открыл в Африке реку Куанго).

— Не такой ты маленький, сам должен думать — как. Если мы, дети, не будем помнить, кто же за нас будет помнить? Продолжаем движение.

Мы двинулись вперед.

А Джо сказал самым тихим шепотом, как бы только для себя:

— Слишком хитрый враг, древний враг.

Но мы все услышали.

— Подождите! — крикнул самый длинный из нас Ваня Соколов (7 лет, город Калуга, Россия). — В память о тех, кого забрала Смерть, я сломал маленькую ветку с красным цветком посредине.

И словно это услышала и жалостно застонала обезьянка-ревун.

Мы послушали и пошли дальше. Впереди нас ждали большие испытания. От каждого из нас требовались и выдержка и мужество.

— Есть среди нас трусы? — спросил Джо.

Вместо ответа Амелфа Пчелкина вспыхнула песней:

— Руки пахнут миндалем.

— Значит, будет вкусно, — хором подхватили мы.

— Левой-правой! — пропищал кто-то из малышей.

И хор подхватил:

— Поддай-ка, друг,
Еще шажка!
Сто ног, сто рук —
Одна башка!

Неумолимо приближались мгновения будущего сражения.

ЗМЕИ ГОРГОНЫ МЕДУЗЫ

Алошка-телефонный-мальчик еще не успел позвонить в свой Серебряный Колокольчик, а на нас уже напали змеи Горгоны Медузы. Они опутывали нас, как шипящие волосы.

Нет, не молнии засверкали. Это мы пустили в дело наши острые мечи. И еще, и еще заксрвочели наши мечи. Рубили со всех ног и рук шипящие волосы. Змеино-убийственные.

И трудно нам пришлось, особенно трем братьям-шотландцам — младшему, пятилетнему Джимми, шестилетнему Дину, семилетнему Дугласу. Они были одеты в клетчатые юбки-килт, на голове — береты с красными помпонами. Их мечи рубили змеиные головы направо и налево. С боевым кличем

«О-хей!» они сражались, как сто тигров, как тысяча львов, даже как ревущая снегоуборочная машина.

Шотландские ребята снова и снова бросались в атаку: «О-хей! О-хей!»

А за ними давно уже следила Смерть. Змеиные головы все яростней, с жутким ревом, нападали и скручивали шотландским бойцам руки.

— Держитесь, ребята! — крикнул каратист-китайчонок Си. — Я иду к вам на помощь. — Он топал ножками. — Бросок, еще бросок! Через себя! Замок!

Рядом с ним сражалась его сестра Мей.

Но было слишком поздно. Шотландцев уже крепко скрутили змеи по ногам и рукам. И не могли они рубить мечами. И самый старший Дуглас крикнул:

— Не жалейте нас. Мы видим горные вершины и снежные лавины. Переходим к третьему измерению полета.

Их уже ослепляло голубое Горное Солнце. И маленький Джимми все понял и крикнул:

— Прощай, Старый Башмак! Мы честно сражались брат за брата!

ЭРМЫЧ И ЧЕБАБА!

В это самое время Старый Башмак как раз пересек границу Бразилии.

Ему было очень жарко. Его кожаный язык высунулся наружу и мотался из стороны в сторону. Хотелось пить.

Он шел по тропическому лесу. Перелезал через огромные деревья. Лианы цепляли его и мешали идти. Наконец он вышел к большой реке.

В этот момент он услышал шум сражения, голоса ребят.

Старый Башмак стремительно покатился вниз, к реке. Перевернулся, встряхнулся.

И, в свете смертельных голубых лучей Горного Солнца, увидел, как дети сражаются со змеями.

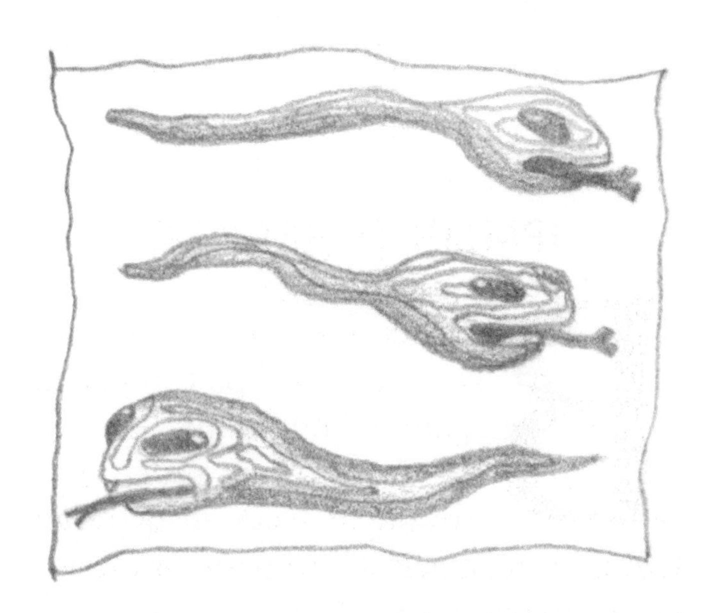

Старый Башмак понял, что рычащие и шипящие змеи одолевают ребят.

Услышал крики ребят:

— Брат за брата!

— Шлеп-на-шлеп! — откликнулся Старый Башмак.

Он впервые в жизни рассердился. И так шлепнул своей подошвой, что из-под нее вырвался сноп искр. А через Амазонку, от Старого Башмака к детям, перекинулась радуга с разноцветными бубенчиками. И они громко зазвенели.

И сразу же смертельные объятия змей ослабели. С шипением змеи стали отползать.

— Эрмыч и чебаба! — издал воинственный крик самый длинный из нас Ваня Соколов.

Испуганно заквакали огромные лягушки. А наша летящая меньшая братва, девчонки и мальчишки прямо с лета мерубили змей. К ужасному грохоту мечей, сверкающих, как сотня тысяч молний, прибавился вой ягуаров.

И в этот же самый момент, в эту же самую эпоху по всей Земле снова включился электрический свет.

ГЛЯДЕЛКИ

В самый разгар битвы вышла вперед самая главная Горгона Медуза.

И она посмотрела на Джо Картошкофф. И он посмотрел ей в глаза голубыми океанами своих глаз. И не знало морское чудище, что еще в своей маленькой деревне Ча, которая находится глубоко под водой, на самом краю древнего царства Атлантиды, Джо прекрасно играл-сражался в «гляделки». Так что Горгона Медуза встретила достойного бойца. И мы все немного убавили шум битвы и стали ожидать: кто кого переглядит.

Горгона Медуза стала вначале кроваво-красной от натуги. Потом зеленой, потом оранжевой, потом серо-буро-малиновой.

Она хрипло вскричала серо-коричневым голосом:

— Хватит бачить, я уж не могу шмачить.

И быстро-быстро заморгала своими глазелками.

А потом уж закричала по-кошачьи, да так сильно, как сто поливальных машин на самой середине улицы Брюкенвальда. Но было уже слишком поздно. Она стала застывать и каменеть. Усыхать... да так сильно, будто ее укусила за хвост самая ужасная блоха Мировой вселенной по имени Гвидо Мерили, которую ее друзья называли запросто Пессинини, отчего Горгона Медуза, совершенно естественно, сама стала пессинини... пессинини... и усохла до маленького серого камушка. И Джо презрительно сказал бывшей страшилище Горгоне Медузе:

— Ну чего, углядела, Горгонище?!

И одним щелчком отбросил этот серый камушек к той самой Стеклянной Стене, за которой пряталась Смерть.

А в это самое время, в эту самую эпоху...

ФЛЮС-БОМБАРДИРОВЩИК

В эту самую эпоху Василь Василич, который жил на третьем этаже панельного дома где-то в глубине России, еще крепче обвязал голову полотенцем, прикрывая свою распухшую щеку с ужасающе-огромным красным флюсом, и смотрел с великой тоской на непрекращающийся еще с тридцать третьего утра, да еще с четвертой ночи проливной дождь. Время от времени когда-то бывший мальчик Вася тихо стонал.

И вдруг громко закричал, испугав ворону, что спала на крыше дома и от страха чуть не свалилась, забыв, что она умеет махать крыльями:

— Боюсь я не Смерти, а только зубного врача-дергача. И никогда, до конца времен, не пойду я в вашу зубодробильную поликлинику.

И помахал кулаком в сторону улицы Лос-Водопадос, где, как ему казалось, находилась эта самая поликлиника.

И вдруг принял совершенно не взрослое, а детское решение: немедленно лететь в Бразилию, к Стеклянной Стене, за которой пряталась Смерть. Пусть стеклянная, пусть хоть железобетонная, все одно — жизни нет, дождь не дождь, а надо лететь. Так неожиданно он махнул правой рукой по всем трем направлениям, левой взялся за флюс — и в путь. Сразу в неизвестность. Семь бед, один ответ, да и тот в конце задачника. И как в этой связи поется в старинной боевой русской народной песне «Накануне Рождества»:

Сеял репу — не взошла.
Эх, Мария, где наша не пропадала!

А ведь самое главное в характере русского человека — большого или маленького — принять необдуманное

9. Заказ № 2211.

решение. И чем круче, тем лучше. И он, даже не развязав полотенца, полетел через реки, моря, горы, океаны — к тропическому лесу. Об этом тропическом лесе он раньше никогда не думал-не мечтал.

Он летел и выл в пути:

— Ой-ой-ой,
Домой больше не приду.
Чует песик мой,
Ой-ой-ой, беду.

Нет моей, ой-ой,
Мамочки со мной,
Ой, не мил мне свет,
Ой, а мамы нет!

Ой, мой огород,
Он порос травой!
Воет у ворот,
Ой, собака мой!

Ой, умру, ой, я!
Ой, в чужой стране!
Ой, собак моя,
Помни обо мне!

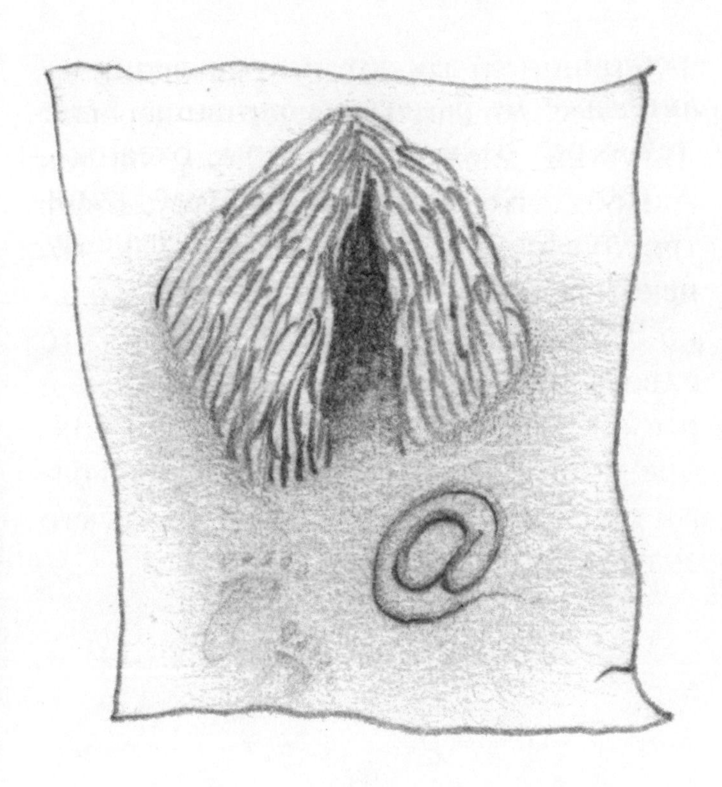

Он летел без всяких чертежей и предварительных договоренностей. Сквозь боль и полотенце кричал:

— Ой, погибну я!

Мамочка моя-а-а-а!

И с налета Василь Василич шарахнул своим пламенем, своим злым псом, своей болью, своим флюсом в непробиваемую Стекляшку.

Страшный грохот потряс тропический лес. Упали тысячелетние деревья. Лягушки завыли, как ягуары, да так громко, что сам Джо Картошкофф тряхнул солнечной головой. Так что некоторым индейцам из племени Только-Там-Только-Здесь показалось, что сквозь привычные стоны ленивцев и рев обезьян прорвалось еще одно солнце, и они быстро нарисовали пальцами около хижины, прямо на песке, его знак @.

СМЕХ В ТРОПИЧЕСКОМ ЛЕСУ

И в эту же минуту, в эту же эпоху разнесся по всему тропическому лесу смех Василь Василича:

— Не болит.

Еще не веря своему счастью, он ощупал рукой щеку:

— Ха! Ха! Ха! И флюса нет!

Сунул в рот палец:

— Ха! Ха! Ха! И зуба нет! Чудо!

И говорящие попугаи и обезьяны, не поняв, в чем дело, тоже заорали на все бразильские тропики:

— Чудо! Чудо!

Началось что-то несусветно-веселое.

Василь Василич еще громче хохотал, не находя пальцем зуба и совершенно ясно понимая, что не надо теперь стоять в очереди к зубному врачу-дергачу из поликлиники на улице Лос-Водопадос. А цикады, вообще не способные усечь новую ситуацию в лесных зарослях, так расцикадились, что лягушки совсем ошалели и напали на ягуаров и стали есть их, как пряники, хотя те рычали и царапались.

— Смотри, Амфа, стены нет! — крикнула таитянка Лу.

И все ребята увидели, что неприступная Стеклянная Стена разлетелась в полную дрин-дзи-дзень, как стеклянная рюмочка, когда на удавшейся свадьбе ее бьют об пол и кричат молодым: «Горько!», чтоб те целовались, а старая хозяйка корчит рожу, поскольку ей жалко рюмочку.

Стена рухнула не от взрыва бомбы, не от хитрого террористического заговора, а от зубной боли. Непробиваемую Стену пробила острая человеческая боль. Вот как, оказывается, бывает!

СТЕНЫ НЕТ

Образовалось пустое пространство на том месте, где стояла когда-то Стеклянная Стена. Не только в районе реки Амазонки, но и в других частях Земли не могли поверить, что так внезапно она рухнет. Ученые, а также политики совершенно научно полагали: не может быть. Даже тропический лес не решался заполнить пустое пространство. Была стена. И нет стены.

Ученые не знали, что теперь делать. Писатели, которые написали сотни и сотни страниц о Бразильском феномене, теперь жаловались друг другу: «Куда отправить написанное? Кому нужна стена, которой нет? Зачем же о ней писать?»

И тогда они стали жаловаться леопардам. А те поворачивались спиной и крутили хвостами. А большие лягушки просто квакали. Писателям казалось, что они смеются. Надо жаловаться, говорили писатели. Есть же где-то Комитет Тропического Леса. Должен быть. Но лианы так все перепутали. И когда, в каком веке его найдешь? В какой век попадешь? Лягушки не скажут. А цикады только цикадят и цикадят. И безмолвно летают жуки и бабочки. У всех свои дела.

ШЛЕП-НА-ШЛЕП!

Ребята молча смотрели на то, что когда-то было стеной.

— Шлеп-на-шлеп! Шаг за шагом! Брат за братом! — вдруг услышали они голос Старого Башмака. — А где мой Младший Брат?

— Старый Башмак! — закричали ребята и кинулись ему навстречу.

Они обступили его, гладили его, дергали за шнурки. Он ничего не мог сказать, а только смеялся и притоптывал подошвой.

Все кричали:

— Брат за братом!

Амелфа Пчелкина плакала от радости, а Лу танцевала вокруг Старого Башмака победный таитянский танец.

И в тропическом лесу тысячи и тысячи попугаев запели самые разноцвет-

ные песни. К ним присоединились обезьяны, которые раскачивались на лианах. И всюду слышалось «Кентукка, кентукка», что на обезьяньем языке означает «Мы рады, мы рады».

А Старый Башмак встряхнулся и перевернулся, как самый молодой из всех мальчишек и девчонок.

И голубое Горное Солнце быстро-быстро начало тускнеть, пока совсем не скукожилось.

ЗАТОСКОВАЛ ВАСИЛЬ ВАСИЛИЧ

Василь Василич поглядел кругом. Увидел, как бы новыми глазами, тропические деревья с огромными мокрыми листьями, опутанные лианами. Хоть наступил день, а в лесу было по-прежнему темно. Сыро.

И затосковал Василь Василич о березках, о соснах в Мещерских лесах недалеко от Рязани, где течет веселая речка Пра.

— Эх! — только и сказал. Развернулся и полетел домой, к среднерусским полянам России, где можно собирать землянику, чернику и грибы. Однажды был у него такой случай. Это уже за Вологдой. Заблудился он в лесу.

А дело к ночи. И решил он не пытать судьбу. Лег в траву. Голову на

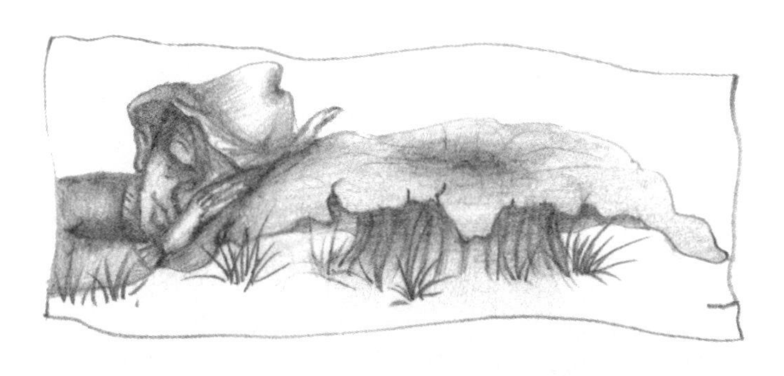

бугорок положил. И заснул. Открывает глаза утром. С ранней зарей. А это вовсе не бугорок, а шляпка белого гриба. Боровик. Такой могучий энергетический ресурс вырос среди высокой травы. Что интересно — абсолютно не червивый. Василь Василич его срезал ножиком и в этом убедился. Такой феномен природы, в такой высокой траве, не должен здесь расти, а вот — пожалуйста.

В общем, погостил Василь Василич в тропическом лесу, где течет река Амазонка. Получил что хотел, пора и честь знать.

Как был Василь Василич, так и фьють. Ищите его теперь на третьем этаже, в панельном доме, в далекой от бразильского леса России.

УТРО ПОСЛЕ ПОБЕДЫ

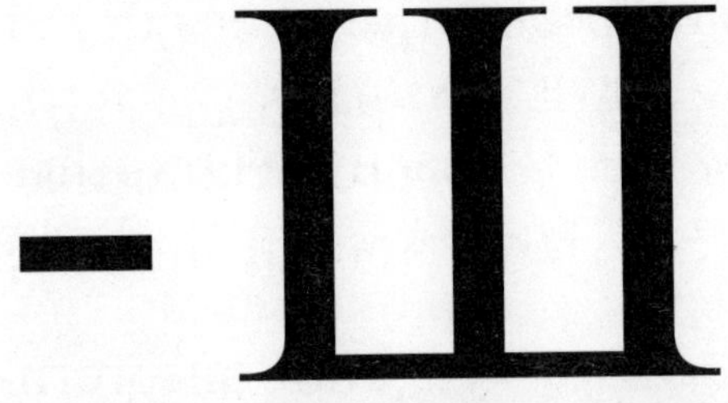

леп-на-шлеп! — первое, что сказал Старый Башмак на следующее утро после победы. — А все-таки где мой брат?

— Не огорчайся, старина, — сказал Джо Картошкофф, — мы на верном пути.

И все облегченно, радостно вздохнули, потому что верили юному сыну Атлантиды из деревни Ча.

— Может, по Интернету дать ей почувствовать нашу силу? — предложил заковыристый Джаник.

— Не суетиться! Сохранять боевую готовность № 1. Двигаться вперед.

— Держать дистанцию! — скомандовал Джо.

— Держать дистанцию!
— Держать дистанцию!

А умненький ирландский философ Дэвид Харрисон (2 года и 7 месяцев) предложил интересный стратегический план: отчасти идти, а отчасти не идти.

— В чем острие твоего стратегического плана? — заковыристо спросил Джаник.

— Она (надеюсь, всем понятно, кто она) осталась оголенной, без защитной стены. Она — зеленый горошек. А стручка-то нет. Она нас очень боится и где-то здесь прячется. Давайте будем идти немножко вперед и немножко назад. Так мы ее обманем.

— Да...
— Да...
— Да...

Мы шли и пели:

— За шагом шаг!
За братом брат!

— За шагом шаг!
За братом брат!

И вдруг впереди нас то, что молчало, закипело кваканьем и затанцевало.

И это был вовсе не зеленый горошек — а прямо из земли выскочила зеленая Жаба. Жаба притащила вместе с собой ужасно грязное болото. А посреди болота в черно-коричневой — не пройти-не проехать распутице — как бы не у дел плавал оторвавшийся от лианы Монстеры огромный ее лист, похожий на голову ядовитой змеи. Жаба вспрыгнула на лист Монстеры и начала танцевать. Она опрокинулась на спину, дрыгала лапами, крутилась, как волчок.

— Мне думается, она танцует брейк, — сказал Ник Бюссен (6 лет и 5 месяцев, теперь, можно сказать, американец, живет в Нью-Йорке, а когда-то жил в Австралии).

И все сказали:

— Да, брейк!

— Да, брейк!

А потом жаба запела. Ник сказал:

— Не слушайте, она поет хулиганские песни.

ЖАБА ТАНЦУЕТ БЛЭК

И все послушали и согласились:

— Да, хулиганские... даже очень...

Только Старый Башмак не понимал, в чем дело. Он повторял: «Шлеп-на-шлеп! Брат за братом! Где мой брат?»

Джо Картошкофф наконец решил прекратить жабье хулиганство и крикнул Жабе:

— Микрофоны включены. Вы в прямом эфире. И на сайте в Интернете вас видят и слышат еще другие дети.

От этих слов Жаба еще наглее разжабилась. И засвистела, как старинный подводный катер, как птица-каравайка с длинным носом, а может, как футбольный фанат, потому что она еще и громко топала.

10. Заказ № 2211.

Жаба фокусничала, гордая, что на нее смотрят ребята, и продолжала отплясывать. Прямо из воздуха достала пачку сигарет и зажигалку. И закурила. Да и этого ей показалось мало — начала вылезать из своей кожи, как заправская стриптизерша. Наполовину вылезла, и появилось голубое лицо...

Старый Башмак, который был вообще-то подслеповатым, глядел, глядел и ахнул:

— Я знаю ее, это Голубая Леди!

— Иди ко мне, Старый Башмак, и ты увидишь своего Младшего Брата, — позвала Голубая Леди.

Старый Башмак шагнул в болото.

В ГОЛУБОМ ДВОРЦЕ

Старый Башмак, как во сне, шел за Голубой Леди. Она едва заметно манила его пальцем. Он проходил как бы сквозь множество голубых туманных зеркал. Зеркала были старинные. Все в них отражалось неясно. И Старому Башмаку казалось, что идет тихий голубой дождь. Голубая Леди шла впереди, не оглядывалась. Она знала, что он идет за ней.

Первый раз она оглянулась, чтобы сказать:

— Вот и мой дворец. Входи, не бойся. Я положу тебя спать на большую кровать. Ты заснешь на века. Под шум дождя. Видишь, здесь идет сонный дождь. Под шум дождя приятно все забыть.

Они поднимались по мраморным лестницам. За одним зеркалом было другое.

Все кругом закрыло теплым голубым туманом.

— Вот твоя комната, где ты будешь спать вечным сном. Вот твоя кровать. Но прежде я хочу с тобой танцевать. Ты слышишь, какая приятная зеркальная музыка?

— Да, — выдохнул Старый Башмак.

— Танцуем вальс. Кружимся, кружимся. Раз, два, три, четыре... Еще... Еще...

— Извините, Леди, вы наступаете мне на шнурки.

Старый Башмак танцевал с большим трудом, гвозди из подошвы почти вылезли, и подошва едва-едва держалась. Он спотыкался.

— Раз, два, три, четыре... Раз, два, три, четыре...

Старый Башмак чувствовал, что ему хочется спать. Он едва шевелил языком. Собрав последние силы, он спросил:

— Леди, где мой брат?

И вдруг, сквозь сон, он услышал боевую песню ребят:

— Поддай-ка, друг,
Еще шажка!
Сто ног, сто рук —
Одна башка!

И сон стал отступать от Старого Башмака.

— Шлеп-на-шлеп! — откликнулся Старый Башмак. И закричал прямо в ухо Голубой Леди: — Где мой брат?!

Она вздрогнула и повернулась другой стороной лица. Он увидел полу-Жабу.

— Сейчас я тебе его покажу, — злобно прошипела она.

На месте дворца появилось грязное болото.

— Вот там твой брат!

Старый Башмак сделал шаг и — провалился в трясину. Миг — и его засосало совсем. На поверхности болота остались только кончики шнурков.

И пропасть бы Старику с концами, не ухватись ребята друг за друга и не вытяни его за шнурки всем миром!

ПОЛУ-ЖАБА

Полу-Жаба, совсем, как говорят французы, *«presque plus rien»*, то есть «почти исчезая», еще раз повернулась, и тогда: ой-ля-ля! Из нее посыпалась всякая труха-муруха: старые телевизоры, холодильники с оторванными дверцами, ржавые мышеловки, тапочки-шляпочки, дырявые зонтики, кадушки-раскладушки без дна и покрышки, американские распиралки с отломанными ручками, а также:

Старые кофемолки
Швейные машинки
Ржавые самосвалы
Камнедробилки
Дома без окон и дверей
Улицы не пройти-не проехать
Мушарчики

Тряпичные клоуны в колпаках, да без рук, да без ног

Мотоциклы без моторов

Автомобильно-дорожные знаки: «Проезда нет!»

Сто тысяч прыгалок и дрыгалок.

И еще: старые газеты, журналы, оборванные электропровода, исковерканные железнодорожные рельсы, пустые бутылки из-под кока-колы, консервные банки, лысые огородные чучела...

А пылища какая, пылища...

Перед ребятами выросла огромная гора мусора.

— Вот теперь ищи своего братца! — жабнула во весь рот полу-Жаба.

И совсем невольно Джаник Де Ла Карапуз громко чихнул:

— Апчхи!

И все ребята сразу сказали волшебные слова:

— Чихай! Будь здоров! Съел три лягушки, два кита. Чур-би, чур-лабу и пузырь во лбу.

БРАТ! МЛАДШИЙ БРАТ!

А Старый Башмак тихо спросил:

— Где же мой брат?

И тут же прибежала птица Агами. Мы говорили, что она встретится еще со Старым Башмаком. О, это замечательная птица. О ней надо особо рассказать. Индейцы ее очень любят. Она может дом сторожить, как собака. Она очень добрая. На доброту людей всегда отвечает любовью. И вот теперь, когда дети ее позвали, она тут же явилась. Никому ничего не говоря, она на своих длинных ногах вбежала на кучу. И носом и ногами стала отбрасывать:

Старые телевизоры... машины и дома... тряпки... зонтики и паровозы... дырявые штаны... целые улицы и даже города... поселки... плетеные корзинки... пенсионные книжки... бутылки... колготки... и прочее... прочее...

И самое главное — докопалась в середине кучи до смертельно опасных взрослых игрушек. Ни на одну минуту не отдыхая, своими длинными ногами и носом отбрасывала прочь танки, что выворачивают землю наизнанку, и бронетранспортеры без жилеток и галстуков.

Все смешалось:

Ракеты с вермишелью и котлетами

И бомбы и бомбы и бомбы... торчат из дырявых носков и чулок

Авиация самолетная

Вылезли самолеты из унитазов

Подмигивают нахальным автоматическим глазом.

Куча не уменьшается...

А снизу Старый Башмак еще громче кричит:

— Где же мой брат?

И в эту минуту, в эту самую нужную нам эпоху, очень добрая птица Агами,

которая любит людей, больших и маленьких, добрых и даже злых, — просто не умеет не любить, — вдруг сверху кучи как прыгнет вниз. А у нее в клюве — маленький Зеленый Ботинок, не больше наперстка крошки-гнома...

А Старый Башмак как увидал, так сердце его закричало с убойной силой на всю Бразилию:

— Зеленый Ботинок! Это мой Младший Брат!

Так Старый Башмак встретился со своим родным Младшим Братом.

И конечно же, от времени, от дождей и ветра брат позеленел.

На радостях Старый Башмак всем ребятам показал свою подошву, а там стояла печать с волшебными словами: «Ф-КА СКОРОХОД». А на подошве Зеленого Ботинка ничего не было. Но ведь сердце не обманешь. Старый Башмак еще в воздухе, в клюве птицы Агами, узнал своего брата.

И мы все поздравляли Старого Башмака, и даже танцевали индейский танец вместе с птицей Агами. Из тропического леса прилетели колибри, цветы и бабочки.

В общем, славный получился праздник.

ПОРА ПРОЩАТЬСЯ

А хозяйственная таитянка Лу сказала:

— Нельзя же в Бразилии оставить такую незаштопанную, барахляную кучу.

— Ах, эту? — небрежно спросил Джо Картошкофф.

И тут же огромный Кит-корабль привел с собой целый океан. Несколько раз волны накатились, и исчез до полной чистоты весь этот мусор.

На борту Кита-корабля было написано крупно:

«ATLANTIDA»

Джо легко вспрыгнул на Кит-корабль и зашагал к дальней палубе, туда, еще далеко-далеко за Ют, к маленькой деревне Ча. Она была в самом хвосте Кита-корабля. Путь не ближний. И его солнечная голова светилась, как заходящее солнце. Но прежде, чем он совсем скрылся, около деревни Ча включилась подводная электростанция с энергией в миллиард киловатт. И все небо сразу вспыхнуло густым малиновым вареньем. Планета Земля радостно вздохнула. Мощно заработали двигатели Кита-корабля. И *«ATLANTIDA»* начала медленно погружаться на дно океана, в свое родное царство.

Быстро темнело. На небе засветилась самая яркая путеводная звезда Духи Кэтрин Бенгелоу.

Алошка-телефонный-мальчик позвонил в Серебряный Колокольчик.

Уже на глубине Кит-корабль дал отходный гудок. И пустил из ноздрей два прощальных фонтана воды.

— Я вас никогда не забуду, — прогремел из глубины голос Джо Картошкофф.

— И нам надо возвращаться, — сказала Амелфа Пчелкина. — Хоть мы живем со взрослыми в разных временных

поясах, но нельзя, чтоб наши папы-мамы узнали, что мы куда-то уходили.

— Ну, побежали! Полетели!

Заковыристый Джаник Де Ла Карапуз спросил:

— А где та полу-Жаба? Ее чего-то не видно.

— Зачем она тебе? — спросил толстый французский мальчик Пьер Жан-Жолье. — Куда-нибудь ускакала. Может, вон на Метиду. — И он ткнул толстым пальчиком в небо.

— Если не ошибаюсь, спутник планеты Юпитер. Его диаметр 40 километров. Места ей хватит, — сказал Ваня Соколов.

Пьер Жан-Жолье устал и очень хотел спать. Он ничего не ответил и просто зевнул.

— А может, в другую галактику? — философски предположил американец Майкл Бюссен. — Пускай Ваня Соколов ее поищет. Он самый высокий из нас.

— Ну вот еще, какие дела, насчет картошки дров поджарить. Мне завтра играть сонату Шуберта в четыре руки. — И как побежит быстро-быстро, а потом полетел. И скоро растворился в бесконечности.

И другие ребята разлетелись по своим странам, по своим домам. Легли в кровать, чтобы досмотреть сон до нового утра, до новой эпохи.

А сзади пыхтели, догоняли Старый Башмак и Младший Брат, Зеленый Ботинок.

11. Заказ № 2211.

И СНОВА В СВОЕМ ДВОРЦЕ

Старый Башмак, еще не совсем проснувшись, потянулся к мобильнику, чтобы позвонить усатому Вежливому Дворецкому. Но вдруг что-то вспомнил. Вспомнил: рядом, на соседней подушке должна лежать голова его Младшего Брата. Повернулся и увидел Зеленый Ботинок. Малыш еще спал.

— Сто ног, сто рук —

Одна башка! —

пробормотал Старый Башмак.

И еще он подумал: может, мне тоже поглядеть новый сон?

В этот момент, в эту эпоху появился усатый Вежливый Дворецкий.

— Мне показалось, Ваше Высочество, а может, почудилось: вы меня звали?

— Тише, — прошептал ему Старый Башмак, — он еще спит.

— Вы позволите, я завяжу вам шнурки? И еще я принес ваксу и щетки. Вы с братом запылились. Наверное, вам пришлось много ходить.

— Да, дорога оказалась длинной.

— Надеюсь, прогулка была для вас не утомительной?

— Не очень. Но мой братец маленький, и он устал. Пускай еще поспит.

— Конечно, Ваше Высочество, — и Вежливый Дворецкий осторожно, ступая на цыпочках, вышел из спальной.

На пороге он остановился и сказал:

— Я закажу в Интернете самые мягкие пуховые стельки для вашего брата.

Его желтое лицо оставалось неподвижным. Но зато усы подпрыгнули так высоко, что перевернули вверх тормашками солнечные лучи утреннего солнца. А уши радостно зашевелились.

НА ПРЕЖНЕМ МЕСТЕ

Когда Старый Башмак окончательно проснулся, то увидел, что лежит на знакомой куче мусора. На прежнем своем месте.

Небо было чистым. Светило солнце. А рядом с ним — его братец, Зеленый Ботинок.

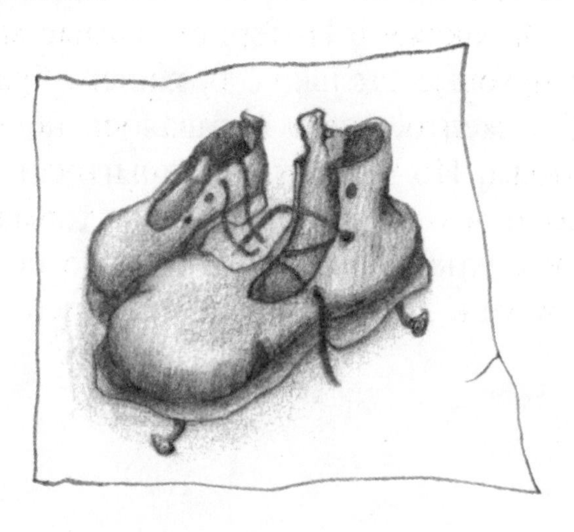

Старый Башмак еще раз посмотрел на своего Младшего Брата. Да, он тут, рядом с ним.

Солнце светило ярко. Было уже жарко, но вставать ему совсем не хотелось.

Содержание

Часть II

Ловушка

Часть III

Генеральное сражение

Георгий Балл

ПРИКЛЮЧЕНИЯ СТАРОГО БАШМАКА, РАССКАЗАННЫЕ ИМ САМИМ

Сказка

Для детей старшего и среднего школьного возраста

Редактор серии
Е. Марголис

Корректор
Э. Корчагина

Компьютерная верстка
С. Пчелинцев

Налоговая льгота —
общероссийский классификатор продукции
ОК-005-93, том 2;
953000 — книги, брошюры

ООО «Новое литературное обозрение»
Адрес редакции:
129626, Москва, И-626, а/я 55
Тел.: (095) 976-47-88
факс: 977-08-28
e-mail: real@nlo.magazine.ru
http://www.nlo.magazine.ru

Формат 84x108/32
Подписано в печать 14.10.2003. Бумага офсетная № 1
Печ. л. 5,5. Тираж 5000. Гарнитура Newton. Заказ № 2211
Отпечатано с готовых диапозитивов
в ОАО "Чебоксарская типография № 1"
428019, Чебоксары, пр. И. Яковлева, 15

Издательство
НОВОЕ ЛИТЕРАТУРНОЕ ОБОЗРЕНИЕ
В серии для детей и взрослых
«Сказки НЛО»
вышли:

Петр Алешковский
РУДЛ И БУРДЛ

Два отважных странника Рудл и Бурдл из Путешествующего Народца попадают в некую страну, терпящую экологическое бедствие, солнце и луна поменялись местами, и как и полагается в сказке-мифе, даже Мудрый Ворон, наперсник и учитель Месяца, не знает выхода из создавшейся ситуации. Стране грозит гибель от недосыпа, горы болеют лихорадкой, лунарики истерией, летучие коровки не выдают сонного молока... Влюбленный Профессор, сбежавший из цивилизованного мира в дикую природу, сам того не подозревая, становится виновником обрушившихся на страну бедствий. Рудл и Бурдл пытаются разобраться в происшедшем и... Сказка для детей среднего и старшего возраста современного русского писателя, автора романа «Владимир Чигринцев» и др. известных читателю произведений.

Издательство
НОВОЕ ЛИТЕРАТУРНОЕ ОБОЗРЕНИЕ

В серии для детей и взрослых

«Сказки НЛО»

вышли:

С. Григорович-Барский

ДЕВОЧКА С ГОЛУБЫМИ ГЛАЗКАМИ. МАРОЧКИН СОН

На солнечном, полном цветов лужке живет маленькая девочка с глазками-незабудками, катается на таракане-автомобиле, ухаживает за больными мотыльками, а любящие ее друзья — жучки, муравьи, комарики и другие спасают ее от злой змеи Гедызи... В этой красочной нежной сказке, написанной дедом для своей внучки, как и во всякой сказке, добро сталкивается со злом и торжествует благодаря дружбе и благородству. Сказка для детей младшего возраста.

Издательство
НОВОЕ ЛИТЕРАТУРНОЕ ОБОЗРЕНИЕ

В серии для детей и взрослых

«Сказки НЛО»

вышли:

Марк Харитонов

УЧИТЕЛЬ ВРАНЬЯ

«Даю уроки вранья», — такое странное объявление увидели однажды пятилетняя Таська и ее старший брат Тим. Вместе с необычным учителем они переживают множество забавных, но нередко опасных приключений в стране, где король Пузырь боится лопнуть от удивления, где отражения в зеркалах становятся фантастическими существами и где начинаешь понимать, каких чудес на самом деле полон наш, казалось бы, обычный мир. Сказка для детей младшего и среднего возраста известного современного писателя, автора романа «Линии судьбы, или Сундучок Милашевича» (Букеровская литературная премия 1992 года).